KB091963

논 · 술 · 세 · 계 · 대 · 표 · 문 · 학

15

검은 고양이

에드거 앨런 포 | 김옥란 엮음

어셔가의 몰락 · 황금 풍뎅이
모르그 가의 살인 사건 · 마리 로제의 비밀

훈민출판사

포의 고향 보스턴의 전경

The Best World Literature

에드거 앨런 포의 모습

뉴욕의 빌딩숲 - 포는 1944년부터 죽을 때까지 뉴욕에서 살았다.

포가 잠시 다녔던 웨스트포인트
육군 사관학교

집필 중인 포 – 부인 버지니아 클렘이
곁에서 지켜보고 있다.

포의 부인 버지니아 클렘

뉴욕의 센트럴파크

영화로 만들어진 〈모르그 가의
살인 사건〉의 한 장면

The Best World Literature

〈모르그 가의 살인 사건〉의 삽화

뉴욕의 록펠러 센터

기획 · 감수

구인환(丘仁煥)

서울대학교 사범대학 졸업. 동 대학원 졸업(문학박사)
서울대학교 명예교수, 소설가(현). 서울대학교 사범대학 국어교육연구소 소장(현)
문학과문학교육연구소 소장(현). 국제펜 한국본부 부회장(현)
한국소설문학상(1987). 예술문화대상(1994). 한국문학상(2000)
작품 〈숨쉬는 영정〉, 〈살아 있는 날들〉, 〈일어서는 산〉 외 다수

• **저서** 《한국단편소설의 이해》, 《한국현대소설의 비평적 성찰》,
《고교생이 알아야 할 소설》, 《고교생이 알아야 할 세계단편소설》 외 다수

윤병로(尹柄魯)

성균관대학교 국어국문학과 졸업. 동 대학원 졸업(문학박사)
성균관대학교 교수, 문학평론가(현). 한국현대소설학회장(현)
한국문예학술저작권협회 이사(현). 한국간행물윤리위원회 위원(현)
한국펜 문학상(1987). 한국문학상(1988). 대한민국문학상(1989)
수필집 《나의 작은 애인들》 외 다수

• **저서** 《현대 작가론》, 《한국 현대 소설의 탐구》,
《한국 근대 작가 작품 연구》, 《한국 현대 작가의 문제작 평설》 외 다수

홍성암(洪性岩)

고려대학교 국어국문학과 졸업. 한양대학교 대학원 국어국문학과 졸업(문학박사)
동덕여자대학교 교수, 소설가(현). 한국문인협회 회원(현)
한국소설가협회 이사(현). 국제펜 한국본부 소설분과 이사(현). 한민족 문화학회 회장(현)
창작집 《큰 물로 가는 큰 고기》, 《어떤 귀향》 외
대하역사소설 《남한산성》 (전9권) 외 다수

• **저서** 《문학의 이해》, 《현대 작가론》, 《한국 근대 역사소설 연구》 외 다수

〈모르그 가의 살인 사건〉과 〈마리 로제의 비밀〉의 배경이 된 프랑스 파리

논술 세계대표문학을 펴내며

21세기의 사회는 **'전자 문명 시대'** 라 일컬어질 만큼 오늘날 전자 산업은 우리 생활의 거의 모든 분야에 다양하게 응용되고 있습니다. 출판 분야 또한 예외는 아니어서, 종래의 서책(Book) 대신에 이른바 '전자책(CD-ROM)' 의 출간이 최근 들어 날로 증가하고 있습니다.

그러나 이러한 전자책은 영상 또는 모니터상으로 흥미 위주나 백과사전식 지식을 습득하는 데는 효과적일지 모르지만, 문학 공부를 위해서는 별로 도움이 되지 않습니다. 바꾸어 말하면, 문학 공부는 각 지면마다 살아 숨쉬는 표현 하나하나를 독자 자신의 머리로 음미하면서 작품을 읽어 나가는 가운데, 풍부한 상상력의 배양과 함께 작가의 의도와 그 작품의 내면을 깊이 있게 이해함으로써 이루어지는 것입니다.

이에 훈민출판사에서는, 자라나는 학생들이 범람하는 영상 매체에 길들여지기 전에, 어려서부터 유명한 세계문학 작품들을 책자를 통하여 감명 깊게 읽고 감상함으로써, 올바른 문학 공부의 기틀을 다지고, 아울러 전인 교육도 할 수 있도록 《논술 세계대표문학(전60권)》을 펴내게 되었습니다.

작품 선정은, 초 · 중 · 고등학교 국어 교과서와 역사 교과서에 실리거나 소개된 문학 작품을 중심으로 하되, 그리스 신화와 성경 이야기 등의 고전에서부터 중세 · 근대 · 현대에 이르기까지 세르반테스 · 셰익스피어 · 톨스토이 등 세계 유명 작가들의 장 · 단편 소설들을 엄선 · 수록하였습니다. 또 세계의 명시도 별권으로 엮었으며, 특히 각 단락마다 **'논술 문제'** 를 제시하여, 장차 대학입시를 비롯한 각종 '논술 고사' 에 예비 지식을 쌓을 수 있도록 배려하였습니다. 아무쪼록, 이 《논술 세계대표문학(전60권)》이 자라나는 학생들에게 문학 공부의 주춧돌이 되고, 나아가 미래를 살아가는 데 **정신적 자양분**이 되기를 진심으로 바라 마지않습니다.

훈민출판사

차례

어셔 가의 몰락/ 황금 풍뎅이
모르그 가의 살인 사건
마리 로제의 비밀

에드거 앨런 포

지은이

1809~1849년. 미국 매사추세츠 주 보스턴 출생. 1827년과 1829년에 각각 〈태머레인 외〉와 〈알 아라프와 태머레인 외 몇 편의 시〉를 발표하며 문학 활동을 시작했다.
〈갈가마귀〉 등의 시를 발표한 포는 소설을 쓰기 시작하여 커다란 인기를 얻게 되었다. 주요 작품으로는 단편소설 〈검은 고양이〉, 〈모르그 가의 살인 사건〉과 시 〈애너벨리〉 등이 있다.

검은 고양이

이제부터 쓰고자 하는 이 터무니없고 끔찍한 이야기를 세상 사람들이 믿어 주기를 바라거나 기대하지는 않는다. 나 자신도 믿기 어려운 일을 다른 사람들에게 믿어 달라고 하는 것은 미치광이의 잠꼬대이기 때문이다. 하지만 나는 미친 것도 아니고 꿈을 꾸고 있는 것도 아니다.

나는 내일 이 세상과 이별을 고할 신세이다. 그래서 오늘 내 영혼의 무거운 짐을 덜어 버리고 싶다. 나는 지금부터 나를 괴롭히고 두렵게 하여 결국은 파멸로 몰아넣은 사건, 평범한 가정에서 일어난 모든 사건을 솔직하고 간결하게, 지루한 설명은 빼 버리고 말하겠다.

나를 지독한 공포와 고통 속으로 몰아넣고, 급기야 나를 파멸시켜 버린 이 사건이 세상 사람들에게는 무섭다기보다는 오히려 기이함을 느끼게 할지도 모르겠다.

나는 어릴 때부터 성격이 온순하고 인정이 많았다. 내 여린 심성은 친구들의 놀림거리가 될 정도였다. 나는 유별나게 동물을 좋아했는데, 부모님은 내게 여러 가지 동물을 사다 주었다.

나는 대부분의 시간을 동물과 함께 보냈으며, 그들에게 먹을 것을 주거나 쓰다듬어 줄 때가 가장 행복하였다.

이런 나의 성격은 사춘기를 거치면서도 바뀌지 않았고, 어른이 되어서도 계속되었다.

충실하고 영리한 개를 길러 본 적이 있는 사람이라면, 그런 동물들의 충실함과 강한 애정이 얼마나 흐뭇한 것인지 잘 알 것이다. 동물들의 단순하고 희생적인 사랑에는 인간들의 변변치 못한 우정과 경박함에 시달려 본 사람의 마음에 감동을 주는 그 무엇이 있다.

나는 결혼을 일찍 했는데, 다행히 아내도 나처럼 동물을 좋아하였다. 아내는 나를 위해서 기회만 있으면 애완동물들을 사들였다. 우리는 새, 금붕어, 개, 토끼, 조그마한 원숭이, 그리고 검은 고양이 한 마리를 길렀다.

고양이는 몸집이 무척 크고 윤기가 흐르는 아름다운 털을 갖고 있었으며 놀라울 정도로 영리하였다. 내가 고양이가 영리하다며 칭찬할 때마다 아내는,

"검은 고양이는 마녀가 변신한 거래요!"

하면서 예부터 전해 내려오는 전설을 들먹이는 것이었다.

아내가 이런 말을 했다고 해서 그녀가 미신을 믿는다거나 또는 그에 대해 심각하게 생각하고 있다는 것은 아니다. 그저 갑자기 생각이 났기 때문이지, 별다른 이유가 있어서 하는 말은 아니다.

플루토! 이것이 검은 고양이의 이름이었다. 플루토는 내가 가장 아끼는 동물로 마음에 쏙 드는 놀이 상대였다. 나만이 플루토에게 먹이를 주었으며, 플루토는 집 안 어디든지 내 뒤를 졸졸 따라다녔다. 외출할 때 따라오지 못하게 하는 것은 여간 힘든 일이 아니었다.

이와 같이 나와 고양이는 수년 동안 친구처럼 지냈는데, 커다란 불행이 우리 앞에 서서히 나타나기 시작하였다.

고백하기 부끄러운 일이지만 그동안 나는 술이라는 악마와 뗄 수 없을 만큼 친해져 있었다. 술 탓이었는지 하던 사업이 실패를 하자, 나의

온순했던 성격은 급속도로 변하기 시작하였다.

내 성격은 날이 갈수록 침울해졌고, 아무렇지 않은 일에도 공연히 발끈하여 다른 사람의 감정 같은 것은 염두에 두지도 않게 되었다.

아내에게 욕설을 퍼붓고 마침내는 손찌검까지 하게 되었다. 물론 귀여워하던 동물들에게도 몹시 난폭해졌다. 나는 이제 동물들을 본 척도 하지 않게 되었으며, 더 나아가 학대까지 하게 되었다. 그러자 동물들도 나를 두려워하면서 슬슬 피하였다.

그래도 플루토에게는 다소 애정이 남아 있어서 다른 동물에게 하는 것처럼 함부로 대할 수는 없었다. 또한 이 영리한 고양이는 내가 화난 얼굴을 하고 있으면 재빨리 어디론가 모습을 감추었다. 그러나 내 술버릇은 점점 고약해져서 결국 조그만 일에도 발끈하여 플루토에게까지 손찌검을 하게 되었다.

어느 날 밤, 늘 다니던 술집에서 곤드레만드레가 되도록 술을 마신 다음 집에 돌아왔는데, 플루토가 나를 슬슬 피해 옆방으로 가려고 했다.

"이 녀석, 이리 와!"

하고 소리치며 나는 고양이를 난폭하게 움켜잡았다. 그러자 놀란 고양이가 발톱으로 내 손을 할퀴어 가벼운 상처를 냈다.

순간, 나는 악마와 같은 분노에 사로잡혀 제정신을 잃어버렸다. 나는 조끼 주머니에서 칼을 꺼내 불쌍한 고양이의 목을 붙잡고, 아주 태연하게 한쪽 눈을 도려냈다.

이 잔인무도한 폭행에 대하여 쓰고 있노라니, 지금도 부끄러움으로 얼굴이 붉어지고 화끈거리며 온몸이 떨려 온다.

아침이 되어 술이 깨고 이성을 되찾았을 때, 나는 지난밤의 내 행동에 대하여 소름이 끼치는 한편, 몹시 후회가 되었다. 그러나 이미 비뚤어질 대로 비뚤어진 나에게 그러한 감정은 잠시뿐이었다. 며칠이 지나자, 반성은커녕 여전히 폭음으로 세월을 보내며 그 기억을 술에 파묻어 버렸다.

그러는 동안 고양이는 조금씩 회복되어 갔다. 도려 낸 눈으로 인해 그 모습은 무서웠지만, 이제는 별로 고통스러워하는 것 같지도 않았다.

고양이는 전과 다름없이 집 안을 이리저리 돌아다녔지만, 내가 가까이 가면 혼비백산하여 도망쳤다. 나는 그토록 나를 따르던 동물이 이렇게 노골적으로 나를 무서워하는 것에 처음에는 얼마간 슬픔을 느끼기도 했다. 그러나 그 감정은 이내 짜증으로 변해 나는 점점 더 고양이를 괴롭혔다.

마침내 나 자신을 파멸의 구렁텅이로 몰아넣으려는 짓궂은 감정이 복받쳐 올랐다. 인간이란, 해서는 안 되는 일일수록 더 하고 싶어지게 마련이고, 자제심을 잃은 나약한 인간일수록 그런 감정의 지배를 더 많이 받는다.

어느 날 아침, 나는 고양이의 목을 나뭇가지에 매달았다. 눈물을 흘리면서 마음 한구석에 이루 헤아릴 수 없는 고통을 느끼며, 나를 따르던 죄없는 고양이의 목을 나무에 매단 것이다. 그것은 아마도 자포자기한 심정으로 끝까지 악해지고 싶다는 묘한 충동이었던 것 같다.

이 참혹한 짓을 저지른 그날 밤, '불이야!' 하는 고함 소리에 나는 잠을 깼다. 내 침실 커튼은 이미 불길에 휩싸여 있었고, 집 전체가 불타고 있었다.

우리 부부와 하녀는 가까스로 화염 속을 빠져 나왔다. 집은 완전히 파괴되어 내 모든 재산이 한순간에 날아가 버렸으므로, 나는 그 후부터 더욱더 절망의 늪에서 헤매게 되었다.

나는 이 불행이 내가 고양이를 매단 행위와 무슨 관련이 있으리라고는 전혀 생각하지 않았다. 나는 그렇게 생각할 만큼 마음 약한 사람이 아니었다.

불이 난 다음 날, 나는 불에 타 버린 집터로 가 보았다. 담은 한쪽만 남은 채 모두 떨어져 나갔는데, 그 남은 담은 집 한복판에 있는 내 침대 머리쪽 벽이었다. 아마도 최근에 새로 회칠을 한 탓에 불이 덜 탄 것 같았다.

그 벽 둘레에 사람들이 서서 웅성거렸다.

"정말 이상한걸!"

"신기한 일이야."

나는 무슨 일인지 궁금하여 사람들 사이로 끼여들었다.

그 벽을 살펴보니 놀랍게도 회칠을 한 하얀 표면에 조각을 새겨 놓은 듯한 커다란 고양이의 모습이 찍혀 있었다. 게다가 목에는 밧줄이 걸려진 모습이었다.

유령이라고밖에 볼 수 없는 이러한 고양이의 모습에 나는 놀라움과 공포로 온몸을 부들부들 떨었다. 그러나 다음과 같은 생각을 하면서 겨우 진정할 수 있었다.

'불이야! 하는 소리에 사람들이 마당으로 몰려들었다. 그리고 누군가가 나를 깨울 작정으로 고양이의 시체를 열린 창을 통하여 내 방 안으로 던진 것임에 틀림없다. 다른 쪽 벽돌이 무너지는 바람에 고양이는 새로 회를 바른 벽에 틀어박혀, 벽의 석회분과 화염과 시체에서 발산되는 암모니아가 혼합되어 이와 같은 화상이 되었으리라.'

그 후 여러 달 동안 고양이의 환영이 나를 떠나지 않았고, 공포와 후회의 감정이 내 마음 한구석에 싹트기 시작했다.

급기야 나는 고양이가 없어진 것을 섭섭하게 여기게 되었고, 마음에 드는 고양이가 있으면 다시 길러 보고 싶다는 생각도 하게 되었다.

그래서 뻔질나게 드나드는 싸구려 술집에서 술을 마시다가도, 문득 플루토와 닮은 고양이가 있지 않을까 해서 주위를 둘러보곤 했다.

어느 날 밤, 그 술집에서 술을 마시며 멍하니 앉아 있는데, 술집 안에 장식용으로 세워 둔 술통 위에 쭈그리고 앉아 있는 시꺼먼 것이 눈에 들어왔다. 아까부터 줄곧 그 술통 쪽을 바라보고 있었는데, 여태까지 그것이 눈에 띄지 않았다는 사실이 참으로 이상했다.

무엇일까 하고 나는 가까이 가서 만져보았다. 그것은 몸집이 커다란 검은 고양이로, 플루토와 무척 닮았는데, 플루토와는 달리 가슴에 흰 반점이 있었다.

"플루토와 많이 닮았군."

하며 털을 쓰다듬어 주니까, 고양이는 일어나 골골거리며 내 손에다 몸을 비볐다. 내가 아는 척을 한 것이 무척 기쁘다는 태도였다.

이거야말로 내가 찾고 있던 고양이였다.

"이 고양이를 내게 팔지 않겠소?"

내가 술집 주인에게 물었다.

"그 고양이는 제 것이 아닙니다. 나도 오늘 처음 보는 것이에요. 아마도 떠돌이 고양이인가 봅니다."

"그럼, 내가 데려다 키워도 될까요?"

"그러시지요, 뭐."

술집 주인이 흔쾌히 승낙했다.

나는 술집에 있는 동안 줄곧 고양이를 쓰다듬어 주었다. 그리고 집으로 가려고 자리에서 일어서자 나를 따라올 것 같은 태도를 보였다.

내가 술집을 나서 집으로 향하자, 고양이는 계속해서 나를 따라왔다. 나는 집에 오는 도중에 몇 번인가 허리를 굽혀 고양이를 쓰다듬어 주었다.

집으로 온 고양이는 곧 길이 들고 아내도 금세 귀여워했다.

그러나 다음 날 아침, 나는 이 고양이가 플루토처럼 한쪽 눈이 없다는 사실을 알아차렸다. 그러자 당장 고양이가 싫어졌다. 술집의 흐릿한 불빛과 술기운 때문에 전날 밤에는 미처 알아차리지 못한 모양이다.

나는 고양이가 나를 따르는 것이 오히려 불쾌하고 성가시게 여겨졌다. 그리고 이 불쾌감과 혐오감은 점차 극도의 증오로 변해 갔다.

하지만 전에 플루토에게 저지른 참혹한 행동이 생각나서, 고양이를 때리거나 학대하지는 않는 대신 내 편에서 고양이를 피했다. 나는 점차 고양이에 대해 이루 말할 수 없는 증오감을 느끼게 되어, 마치 전염병 환자를 피하듯이 고양이를 슬슬 피했다.

반면, 인정 많은 아내는 그 고양이가 플루토처럼 한쪽 눈이 멀었다는 이유로, 한층 더 고양이를 가엾게 여겼다.

그런데 고양이는 내가 피할수록 더욱더 나를 쫓아다녔다. 내가 어디에 앉기라도 하면 으레 달려와 내 의자 밑에 앉거나, 무릎 위로 뛰어올라 지긋지긋하게 핥거나 또는 자기 몸을 내 몸에다 비벼 대는 것이었다. 또 내가 일어나서 걸어가려고 하면 어느 새 다리 사이로 기어들어와 하마터면 넘어질 뻔하게 하거나, 그렇지 않으면 길고 뾰족한 발톱으로 옷에 매달려 가슴까지 기어 올라왔다.

이럴 때에는 당장 때려죽이고 싶었는데, 그 순간 전에 저지른 죄악이 머릿속에 떠올랐으며, 또한 고양이가 까닭 없이 무서워서 감히 손을 대지 못했다.

나는 이제 밤이나 낮이나 한시도 마음 편할 날이 없었다. 고양이는 낮 동안에 나를 잠시도 내버려두지 않았으며, 그것은 밤에도 마찬가지였다. 자다가 너무나 무서운 꿈에 놀라 깨어 보면, 고양이가 내 얼굴에 뜨거운 입김을 뿜어 대며 육중한 무게로 내 가슴을 누르고 있었다.

아내는 내가 느끼는 고양이에 대한 공포가 어느 정도는 플루토에게 저지른 죄의식 때문이란 것을 알아차리고, 이 고양이는 플루토와는 다른 고양이임을 강조하였다. 그 증거로 플루토에게는 가슴에 흰 반점이 없었는데, 이 고양이에게는 흰 반점이 있다는 것이었다.

그런데 이 반점은 처음에는 희미했었는데, 눈에 띄지 않을 정도로 서서히 진해져 마침내 분명한 윤곽을 나타냈다. 그리고 그것은 점차 구체적인 모습으로 변해 갔는데, 나로서는 차마 입에 담기에도 끔찍한 교수대의 형상이었다.

나는 그것 때문에 무엇보다 그 괴물이 밉고 무서웠으며, 될 수 있으면 없애 버리고 싶었던 것이다.

나는 공포와 고통에 짓눌려 걷잡을 수 없이 포악해져 갔다. 한 조각 남아 있던 선량함마저 사악함에 자리를 내 주고, 온갖 음흉함과 난폭함만이 내 벗이 되었다. 나는 세상과 사람들을 저주하였고 별안간 화를 내는가 하면, 아무에게나 주먹을 휘두르곤 하였다.

불쌍한 아내는 아무 불평도 없이 그 고통을 달게 참아 주었다.

아내와 나는 오래된 낡은 집에 살고 있었는데, 어느 날 집안일로 아내와 함께 지하실로 내려갔다. 나는 가파른 계단을 내려가다가 고양이에게 발이 걸려 계단을 헛딛는 바람에 앞으로 고꾸라질 뻔하였다.

나는 극도로 화가 났고, 분노에 휩싸인 나머지 그 동안 참고 있던 어린애 같은 공포감도 잊어버리고 도끼를 들어 고양이를 향해 내리치려 했다. 물론 마음먹은 대로 도끼가 떨어졌다면 고양이는 그 자리에서 죽어 버렸을 것이지만, 아내의 제지로 뜻대로 되지 않았다.

그 순간 나는 악마도 못 당할 만큼 분노에 휩싸여 아내의 손을 뿌리치고, 대신 그 도끼를 아내의 머리에 내리박았다. 도끼는 아내의 머리에 정통으로 떨어졌고, 아내는 찍 소리도 못하고 그 자리에 푹 고꾸라졌다.

너무나 순간적으로 일어난 일이었다. 한동안 멍청하게 서 있던 나는 곧 아내의 시체를 처리할 연구에 골몰했다.

낮이건 밤이건 간에 이웃 사람의 눈에 띄지 않게 시체를 집 밖으로 운반한다는 것은 불가능했다. 갖가지 생각이 머리에 떠올랐다. 시체를 잘게 토막내서 불에 태워 버릴까, 아니면 지하실 마루 밑에 구멍을 파고 그 곳에 파묻어 버릴까도 생각했다. 또 마당 우물에 던져 버릴까, 상자에 집어넣어 상품처럼 포장해서 인부를 시켜 집 밖으로 지고 나가게 할까도 생각해 보았다.

그러다 문득, 중세에 승려들이 사람을 죽이고 벽 속에 묻었다는 기록이 머릿속에 떠올랐다. 그래서 나도 벽과 벽 사이에 시체를 틀어박고 발라 버리리라 결심했다.

또한 이 지하실이야말로 이러한 목적으로는 안성맞춤이었다. 지하실의 벽은 구조가 부실한데다 최근에 새로 회칠을 했는데, 지하실 안의 습기 때문에 아직 굳지 않은 것이다. 더욱이 한쪽 벽에는 굴뚝 아니면 난로였던 것 같은 자리가 툭 튀어나와 있었는데, 그것을 메워서 지하실의 다른 부분과 같도록 만들 수 있을 것 같았다.

이 부분의 벽돌을 빼내고 시체를 밀어넣은 다음 벽 전체를 전과 같이 발라 버리면, 누구의 눈에도 이상하게 보이지 않을 것이라고 확신했다.

나는 쇠지렛대를 이용하여 힘들이지 않고 벽돌을 빼낸 다음, 시체를 조심스럽게 벽 속에다 세웠다. 그러고 나서 벽돌을 감쪽같이 원래대로 쌓아 놓았다. 그 다음으로 모르타르와 모래, 털 들을 사다가 조심스럽게 전과 다름없이 벽돌과 벽돌 사이에 골고루 발랐다.

일이 끝났을 때, 나는 자! 이젠 되었다, 하는 안도감을 느꼈다. 이것으로 벽에 손을 댄 것 같은 흔적은 전혀 찾아볼 수 없었다. 나는 지하실 바닥에 있던 쓰레기도 말끔히 치웠다.

나는 득의에 찬 기분으로 주위를 휘휘 둘러보며 중얼거렸다.

"흠, 이 정도면 애쓴 보람이 있군."

그 다음에 내가 할 일은, 이와 같은 불행의 원인을 만들어 낸 그 고양이를 찾아 죽이는 일이었다. 그러나 아무리 찾아도 고양이는 눈에 띄지 않았다. 이 약삭빠른 놈이 겁을 집어먹었는지 내 앞에 얼씬도 하지 않았다.

그 지긋지긋하던 고양이가 눈에 보이지 않자, 나의 기쁨은 말로 표현할 수가 없었다. 고양이는 그날 밤이 새도록 모습을 나타내지 않았다.

이렇게 해서 그 고양이를 집으로 데리고 온 이래 처음으로 나는 깊은 잠을 잘 수가 있었다. 그렇다! 적어도 이날 밤만은 살인죄라는 무거운 짐이 내 영혼을 누르고 있었음에도 불구하고 나는 푹 잘 수가 있었다.

이틀이 지나고 사흘이 지나도 고양이는 나타나지 않았다. 아마도 겁을 먹고 집에서 도망친 모양이었다. 나는 비로소 자유로운 인간으로서 숨을 쉴 수가 있었다. 아내에 대한 죄의식도 별로 느끼지 않았다.

아내의 실종 사건을 보고받은 경찰관으로부터 몇 차례 취조가 있었지만 문제없이 대답할 수 있었고, 가택 수색이 있었지만 물론 아무것도 발견될 리 없었다.

그런데 이 사건이 있은 지 나흘째 되는 날, 뜻밖에도 한 무리의 경찰관이 들이닥쳐 또다시 엄중한 가택 수색을 시작했다. 경찰관들은 꽤나 집요하고 꼼꼼하게 여기저기를 수색했지만, 나는 절대로 찾아 낼 수 없으리라는 확신 때문에 조금도 당황하지 않았다. 경찰들은 수색 중에 나에게 동행할 것을 명령하고 집 안 구석구석까지 샅샅이 살폈다. 그리고 서너 번이나 지하실로 내려갔지만 나는 조금도 놀라지 않았을뿐더러, 내 심장은 마치 잠자는 사람처럼 평온하였다.

나는 여유 있는 모습으로 팔짱을 끼고 지하실을 천천히 걸어다녔다.

경찰들이 완전히 의심을 풀고 떠나려 하자, 나는 참을 수 없는 기쁨에 가슴이 벅차올랐다. 나는 승리의 기쁨에 도취하여 나의 무죄를 그들에게 한층 더 분명하게 하고 싶은 욕망이 끓어올랐다.

경찰관들이 계단을 막 올라가려 할 때, 나는 참을 수 없는 충동으로 입을 열었다.

"여러분의 의심이 풀려 무엇보다 기쁩니다. 저는 여러분의 건강을 빌며 경의를 표합니다."

나는 무언지 모를 세찬 욕망으로 인해 나 자신이 무슨 말을 하고 있는지조차 모르는 채 말을 계속하였다.

"이 집은, 이 집은 말이죠, 구조가 아주 잘 되어 있답니다. 아주 잘 지어진 집이라고 할 수 있지요. 또한 이 벽은 말이죠. 아, 여러분! 그만 가시렵니까? 이 벽은 아주 견고하게 짜여 있답니다."

나는 여기서 일단 말을 멈추고 마치 미치광이처럼 들고 있던 지팡이로 아내의 시체가 있는 바로 그 부분을 힘껏 두들겼다.

그런데 오오, 하느님! 악마의 독니로부터 나를 구해 주소서! 내가 두드린 울림이 잠잠해지자, 그 곳에서 마치 무덤 속에서 울려 나오는 듯한 소리가 들려왔다. 처음에는 약하고 간헐적인 어린애의 훌쩍이는 울음소리 같더니, 갑자기 높고 날카로운 이상한 비명 소리로 변했다.

그것은 지옥에 떨어져 고통으로 몸부림치는 수난자의 목소리와, 그에게 형벌을 주고 기뻐 날뛰는 악마의 입으로부터 흘러나오는 소리가 뒤섞인 듯한 공포와 승리가 반반씩 섞인 울부짖음이었다.

여기서 내 기분 따위를 얘기한다는 건 어리석은 일일 것이다. 나는 정신이 아득해져서 반대편 벽에 쓰러질 듯이 기대어 섰다.

계단 위로 올라가던 경찰들은 순간 너무 놀라 잠시 우두커니 서 있더니, 곧이어 벽을 허물기 시작했다. 벽은 송두리째 내려앉았고, 이미 상당히 부패하고 핏덩이가 엉겨붙은 시체가 그 모습을 드러냈다. 그리고

시체의 머리 위에는 시뻘건 입을 벌리고, 한쪽 눈을 이글거리는 검은 고양이가 앉아 있었다.

나로 하여금 살인을 저지르게 한 것이나, 비명 소리를 내어 나를 교수대로 끌려가게 한 그 모두가 이 고양이의 술책이었다. 나는 그 괴물을 시체와 함께 벽 속에다 틀어박고 회반죽으로 발라 버렸던 것이다.

어셔 가의 몰락

하늘에 구름이 낮게 깔려 있는, 어둡고 스산한 가을의 어느 날이었다.

나는 말을 타고 황량한 시골길을 지나, 어둠이 내리기 시작할 무렵에야 겨우 어셔 가의 저택에 도착했다.

어셔 가의 저택은 매우 음침한 모습을 하고 있었다. 웬일인지 그 저택을 힐끗 한번 바라본 것만으로도 견딜 수 없이 기분이 나빠졌다.

나는 내 앞에 펼쳐진 풍경을 말 위에 탄 채 말없이 바라보았다.

텅 빈 듯한 한 채의 집과 공허한 창문, 황폐한 담, 헐벗은 나무의 흰 줄기가 춥고 병든 것처럼 느껴졌다. 뭐라고 표현할 수 없는 침울한 기분이 느껴졌는데, 그 때의 내 기분은 아마도 아편 중독자가 아편기가 사라졌을 때 느끼게 되는 달콤한 꿈이 깨는 듯한 기분, 즉 현실 생활로 또다시 돌아올 때에 느끼는 비통한 느낌과도 같은, 이 세상의 어떠한 감정에도 비할 수 없는 것이었다. 마음이 얼음장처럼 싸늘해지고, 기운이 빠지고, 속이 메스꺼워지는 것 같았다. 그것은 어떠한 상상력을 발휘하더라도 도저히 밝은 마음으로 돌아갈 수 없는, 견딜 수 없는 적막감이었다.

나는 집 옆에 있는 작은 호수 근처에서 말을 멈추었다. 수면은 잔잔하였으나 물빛이 시커멓고 달빛을 받아 기괴한 빛을 내뿜었다. 또한 호수에는 헐벗은 나뭇가지와 텅 비어 보이는 창문이 비치었다. 물 위에 거꾸로 비쳐진 그것은 직접 본 것보다 훨씬 더 소름끼치는 모습이어서 나도 모르게 몸서리를 쳤다.

나는 이 집 주인인 로드릭 어셔의 초청으로 이 음산한 집에서 몇 주일 머물 예정으로 온 것이었다. 로드릭 어셔는 나의 어렸을 때 친구였지만, 서로 헤어진 뒤로는 오랫동안 한 번도 만난 적이 없었다.

그러던 어느 날, 어셔는 먼 시골에 살고 있는 나에게 느닷없이 한 통의 편지를 보내 왔다.

나는 바쁜 일정에도 불구하고 편지의 내용이 너무도 간절했으므로 만사를 제쳐두고 올 수밖에 없었다.

어셔의 편지에는, 그가 병으로 인해 몸과 마음이 몹시 고통을 받고 있다는 것과 그래서 세상에서 가장 절친하고 믿을 수 있는 친구인 나를 한번 만나서 다정하게 말을 주고받는다면 그 고통을 다소나마 잊을 수 있을 것 같다고 씌어 있었다.

너무나 갑작스런 부탁에 나는 당황했지만, 그가 아주 다급한 상황에 놓여 있다는 것을 짐작하고 나서는 망설일 틈이 없었다. 나는 대단히 이상한 초대라고 생각하면서도 응하지 않을 수 없었던 것이다.

어셔와 내가 어렸을 때에는 매우 친했지만, 사실 지금에 와서는 그에 대하여 별로 아는 것이 없었다. 어셔는 지나칠 정도로 말이 없었고, 자기 이야기는 거의 하지 않았다.

여기서 한 가지 얘기하고 싶은 것은 전통 깊은 어셔 가의 특징에 대해서이다. 어셔 가의 사람들은 오랜 옛날부터 섬세하고 예민한 성격을 지녀, 뛰어난 예술가적 자질을 보여 왔다. 또한 최근까지도 관대하면서도 겸허한 자선 사업을 벌이고 있다. 어셔 가 사람들은 음악에 있어서도 정통적이고 알기 쉬운 음악보다는 복잡한 음악에 대해 열정을 나타내곤 했다. 또 한 가지, 어셔 가는 꽤 오래된 가문임에도 불구하고 자손들이 번창하질 못하고 거의 직계로 이어지고 있었다. 그만큼 자손이 귀하다는 것인데, 이러한 이유로 재산은 늘 아버지에게서 아들로 이어졌다. 따라서 소작농들은 그 집안과 대저택을 통틀어 어셔 가로 부르고 있었다.

잠시 후, 나는 호수에 비친 집의 그림자로부터 눈을 들어 실제의 집을 바라보았다. 집을 바라보는 순간, 마음속에 이상한 느낌이 들었다. 그것은 뭐라고 딱 잘라 말할 수는 없지만 어떤 미신적인 두려움이었다.

내 눈에는 하늘의 공기와는 아주 다른 분위기, 썩은 나무와 흰 벽, 그리고 잠잠한 호수로부터 증발된 우중충한 빛깔을 띤 독기 어린 공기가 집 주위를 감싸고 있는 것처럼 느껴졌다. 나는 이런 나의 두려움이 이 집을 배경으로 하고 있는 헐벗은 나뭇가지, 음산한 벽, 죽은 듯이 고요한 호수, 이런 것들에서 비롯된 것이려니 하고 애써 생각하였다.

나는 악몽으로밖엔 생각되지 않는 이 두려움을 떨쳐 버리고자, 다시 한 번 어셔 가를 살펴보았다. 대단히 오래된 건물이라는 것이 가장 뚜렷한 특징이었는데, 여러 세기를 내려오는 동안 건물은 퇴색했고, 건물 전체가 온통 곰팡이로 덮여 있는데, 그것이 섬세하게 뒤얽힌 거미줄처럼 추녀 끝에 축 늘어져 있었다. 석조물은 자잘한 금이 많이 가 있었지만 아직 떨어져 나간 부분은 없었다. 밑바닥의 목재 부분은 아주 단단한 나무였음에도 불구하고 꽤 오래 전부터 썩은 것 같았다. 그런데도 건물은 아직도 튼튼해 보였다.

더욱 주의해서 바싹 들여다보니까, 눈에 띌까말까한 균열이 건물 앞쪽 지붕에서부터 담까지 꾸불꾸불 내려와 음침한 호수 속으로 사라져 버린 것이 눈에 띄었다.

이러한 것들을 바라보며 나는 집 쪽으로 말머리를 돌렸다. 기다리고 있던 하인에게 말을 맡기고, 고딕풍의 현관을 통하여 집 안으로 들어갔다.

거기서부터 발소리를 죽이며 걷는 하인이 아무 말도 없이 몇 개의 어둠침침하고 복잡한 복도를 지나 주인의 서재로 나를 안내했다.

도중에 눈에 띈 여러 물건들은 내가 이미 말한 그 적막감을 한층 더 강하게 해 주었다. 천장의 조각, 우중충한 벽걸이, 마루의 검은색 카펫, 그리고 발을 옮길 때마다 덜컥덜컥 소리를 내는 이 가문의 전리품인 갑옷 등, 어렸을 때부터 충분히 눈에 익은 물건들이건만, 지금에 와서 기이한 환상을 새롭게 불러일으키는 데는 놀라지 않을 수 없었다.

마침 계단에서 나는 이 집의 주치의를 만났다. 그는 나를 본 순간, 어딘지 모를 교활함과 당황한 표정을 지으며 인사를 했다. 그리고 몹시 걱정스러운 얼굴로 어셔의 병이 매우 위중하다는 사실을 말했다.

잠시 후에 하인이 어느 방문을 열고는 나를 어셔에게 안내했다.

그 방은 대단히 넓고 천장도 높았다. 바닥은 검은 참나무로 되어 있었고, 창문은 길고 좁았으며, 벽마다 짙은 색의 커튼이 드리워져 있었다.

창문 사이로 흐릿한 빛이 흘러들어와 방 안의 물건을 비추었는데, 가구들은 하나같이 우중충한 모습을 하고 있었다. 모두 낡아빠지거나 무늬가 떨어져 나간 것으로 사용하기에 불편해 보였다. 책과 악기들이 무질서하게 놓여 있고, 무언지 모를 침울한 분위기가 방 안을 떠돌며 모든 것에 깊숙이 스며들어 있었다. 이것들을 바라보고 있자니 갑자기 슬픔이 솟구쳤다.

내가 방 안으로 들어가자, 어셔는 누워 있던 소파에서 몸을 일으켜 나를 반갑게 맞아 주었다.

"어서 오게. 와 주어서 정말 고맙네."

우리는 마주 보고 앉았다.

나는 어셔를 본 순간 깜짝 놀라지 않을 수가 없었다. 나는 연민과 두려움을 동시에 느끼면서 그를 바라보았다.

로드릭 어셔처럼 단시일 내에 이렇게 무서운 꼴로 변해 버린 사람도 드물 것이다. 나는 내 눈앞에 앉아 있는 이 창백한 남자가 소년 시절의 나의 절친한 친구였다고는 도저히 믿어지지 않았다. 잘생긴 얼굴의 윤곽은 그대로였지만 전체적인 모습이 마치 딴사람처럼 변해 있었다.

백지장처럼 창백한 얼굴에 두 눈만이 빛을 발하고 있었다. 입술은 얇고 창백했으며 코는 우아한 곡선을 그리고 있었다. 원래 비단결처럼 가늘고 부드러웠던 그의 머리카락은 빗질을 하지 않아 온통 헝클어져 있었다.

또한 그의 표정은 지금 자신이 누구와 얘기하고 있는지조차 모르는 것 같은 인상을 나에게 주었다. 그의 태도로 보아 정신 상태가 정상이 아님을 알 수 있었다. 무엇보다도 소름끼칠 만큼 창백한 피부색과 이상한 광채를 발하는 눈이 나를 놀라게 함과 동시에 공포감마저 심어 주었다.

나는 그의 태도에서 앞뒤가 맞지 않고 우왕좌왕하는 모습을 엿볼 수가 있었다. 그리고 곧 이것은 습관적으로 경련을 일으키는 극도의 흥분을 억제하려고 안간힘쓰기 때문이라는 것을 알았다. 하긴 이러한 것들은 그의 편지를 통해서나, 그의 소년 시절에 대한 회상, 특이한 체질이라든가 기질로 미루어 볼 때 충분히 있을 수 있는 일이었다. 그는 쾌활하다가도 갑자기 침울해지고, 소곤거리다가도 갑자기 큰 소리를 지르곤 했다.

어셔는 내게 자기의 병에 대하여 이야기하였다. 자기 병은 어셔 가에 유전적으로 내려오는 병이므로 치료 방법이 전혀 없는 것으로 단념하고 있다는 것이다. 그러다가는 또 자기 병은 간단한 신경 계통의 병에 불과하니, 틀림없이 곧 나을 거라고 고쳐 말하는 것이었다.

이 신경 계통의 병세는 많은 부자연스러운 감각으로 나타나, 그의 말투와 행동에도 적지 않은 영향을 미치고 있음을 알 수 있었다.

이 병의 증세는 갑자기 나타났다가 또 금세 사라지곤 하는데, 병이 발작할 때는 그의 몸 안에 있는 모든 감각이 극도로 예민해진다는 것이다. 음식물은 아주 깨끗한 것이라야만 했고, 옷도 신경을 자극하지 않는 아주 얇고 부드러운 천으로 된 것만 입을 수 있었다. 꽃향기는 그 어떠한 것이든 간에 숨이 막혔고, 아주 희미한 빛에도 눈이 못 견디게 아팠다. 그리고 현악기 소리를 제외한 아주 조그마한 소리에도 깜짝깜짝 놀라 공포심을 느꼈다.

그는 떨리는 목소리로 내게 말했다.

"나는 겁이 나네. 이런 우스꽝스러운 병으로 죽을 걸 생각하니 무서워서 견딜 수가 없어. 나는 이유도 모르는 공포 때문에 서서히 죽어가고 있어. 내가 정말로 두려워하는 건, 비록 사소한 사건이라 할지라도 그 공포란 놈이 내 영혼에 참을 수 없는 충동을 일으킨다는 거야. 생각할수록 소름이 끼쳐. 나는 위험 같은 건 두렵지 않아. 다만 공포를 일으키는 절대적인 그 힘을 두려워하는 것일세. 내가 기진맥진한 상태에 빠져 공포의 무시무시한 환영과 싸우는 동안에 나의 생명도 이성도 모두 내버려야 할 시기가 꼭 올 것만 같아."

나는 그 공포가 과연 어디서 오는 것일까를 생각해 보았다. 아마도 이 집 안에서 풍겨 나오는 분위기 탓인 것 같기도 하였다.

어셔는 여러 해 동안, 한 걸음도 문 밖으로 나가지 않고 있었다. 전체적으로 음산하고 괴기스런 집 안 분위기와 황량한 주변의 경치가 어셔를 이상한 미신적인 감정으로 몰고 가는 듯했다.

그러나 다른 무엇보다도 그를 괴롭히는 것은 여동생의 병이었다. 여러 해 동안 그의 유일한 말벗이며 세상에서 단 하나밖에 없는 혈육인 여동생은, 어셔보다 더 오래 전부터 이 병을 앓고 있었다. 이제 여동생은 죽음만을 앞두고 있었다.

"동생이 죽어 버리면 나는 이 유서 깊은 어셔 가의 최후의 생존자가 되는 것일세."

어셔는 비통한 어조로 말했다.

그가 이렇게 말하고 있는데, 마침 여동생 마들린이 방으로 들어왔다. 그녀는 내가 있다는 사실도 눈치채지 못한 채 천천히 방 안을 가로질러 조용히 방 저쪽으로 사라져 버렸다. 마들린은 나의 존재를 전혀 느끼지 못하는 것 같았다.

나는 공포감이 섞인 극도의 경악감으로 그녀를 바라보았다. 그러나 내가 왜 그렇게 놀라고 두려움마저 느끼는지는 나 자신도 알 수가 없었다. 어쨌든 그녀가 다른 문으로 나갈 때까지 그녀의 모습에서 눈을 뗄 수가 없었다.

나는 순간, 어셔의 표정을 살폈다. 그는 뼈만 앙상한 두 손으로 얼굴을 감싸쥐고 울고 있었다.

마들린의 병은 유명한 의사들도 포기한 지 이미 오래되었다. 이유 없이 몸이 말라 가고, 일시적이긴 하지만 이따금 몸이 뻣뻣하게 굳어 버리는 희귀한 병이었다. 그녀는 모든 일에 흥미를 잃었고, 시시각각 다가오는 죽음에 몸을 내맡긴 채 간신히 목숨을 이어가고 있었다.

그런데 내가 도착한 저녁부터 마들린의 병세가 더욱 악화되었다. 어셔에 의하면, 그날 밤 마들린이 끝내 병마의 무서운 힘에 의해 쓰러지고 말았다는 것이다. 그러므로 그 때 슬쩍 바라본 것이 그녀가 살아 있는 동안 내가 본 마지막 모습이었다.

그 후 며칠 동안 나도 어셔도 마들린의 이름을 입 밖에 내지 않았다.

그러면서 나는 열심히 친구의 우울증을 위로해 주려고 애를 썼다. 우리는 같이 그림도 그리고 책도 읽었다. 혹은 그가 즉흥적으로 격렬하게 치는 기타 소리에 귀를 기울이기도 했다.

우리 두 사람의 관계가 날이 갈수록 친밀해짐에 따라 어셔는 나에게 자기 속마음을 허물없이 털어놓게 되었다. 하지만 그럴수록 어셔의 마음을 즐겁게 해 주려는 나의 노력이 모두 허사임을 깨닫지 않을 수 없었다. 왜냐하면, 어셔의 마음 깊은 곳으로부터 어둠이, 마치 선천적으로 타고난 그의 본성과도 같은 우울이 끊임없이 뻗어 나왔기 때문이다.

어셔의 청신경의 병적 상태가 현악기를 제외한 다른 악기는 참을 수 없도록 그를 괴롭혔다는 것은 앞에서도 말한 바가 있다. 이와 같이 제한된 범위 내의 곡목으로만 연주하는 그의 기타 소리는 기이한 특색을 풍겼다. 또한 그가 흥에 겨워 즉흥적으로 작곡해 내는 재주는 정말이지 감탄할 만한 것이었다.

그의 환상적인 연주며, 기타를 치며 이따금 즉흥적으로 읊는 시는 최고의 예술적 경지에 이르렀을 때에나 볼 수 있는 강렬한 정신적 통일과 집중의 결과라고 아니할 수 없었다.

이런 즉흥시의 한 구절을 나는 금세 외울 수가 있었다.

그가 읊은 즉흥시에 내가 더욱 강렬한 인상을 받았던 것은, 그 시의 의미 밑바닥에 내재된 신비로운 흐름 속에 자기의 고고한 이성이 그 옥좌 위에서 비틀거리는 걸 완전히 의식하고 있음을 느꼈기 때문이다.

그가 읊은 〈유령궁〉이라는 시는 정확하지는 않으나 대략 다음과 같은 것이었다.

푸른빛 짙은 골짜기에
천사들 깃들여 살던

아름답고 빛나는 궁전,
하늘 높이 우뚝 솟아 있네.
천사도 이렇게 아름다운 궁전에는
와 본 적 없으리!

노란빛으로 펄럭이는 아름다운 깃발
지붕 위에 휘날리니
이는 모두 아주 먼 옛날
그리운 그 날
순수하고 아련한 추억을 스쳐
솔솔 부는 부드러운 바람
향기로운 깃을 타고 살며시 스치는구나.

행복의 골짜기를 헤매는 방랑의 무리들
빛나는 두 개의 창으로부터
은은히 들리는 음악 소리에 따라
춤추며 옥좌를 돌고 도는
신들을 보네.
옥좌에는 남빛 옷 입은 신!
그럴 듯한 위엄을 띠고
세상을 내려다보고 있노라.

아름다운 궁전의 문은
진주와 루비의 빛으로 비치고
그 문으로 흐르고 흘러

또 영원히 반짝이는
산울림의 무리 뛰어들어오도다.
세상에서 드문 아름다운 소리로
임의 크신 공덕을
찬미함을 유일한 의무로 삼고.

악마들은 슬픔의 옷을 입고
신의 옥좌를 부수었도다.
아! 슬프다.
다시는 신을 보지 못하리.
궁터에 떠도는
빨갛게 피어오르는 영광도
이제는 다만 사라진
추억의 한 줄기.

골짜기를 지나는 여행자의 무리들
이제는 다만
붉은빛 비치는 창으로부터
미친 듯이 터져 나오는 음악 소리에 맞춰
희미하게 흔들리는 커다란 그림자를 볼 뿐
무서운 급류와도 같이
창백한 문을 지나
괴물의 무리 영원히 터져 나와
큰 소리로 웃는다.
미소는 벌써 볼 수도 없구나.

어셔는 또한 광적이고 포악한 기록이 담겨 있는 책들을 즐겨 읽는 것 같았다. 나는 그러한 책들이 이 우울증 환자에게 끼칠 영향을 생각하지 않을 수 없었다.

그러던 어느 날 밤, 어셔가 불쑥 내 방에 들어와 말했다.

"마들린이 죽었네. 2주일 동안은 시체를 거실 벽 뒤에 있는 지하실 속에 가매장할 작정이네."

나는 그의 말에 너무 놀라 소리쳤다.

"아니, 그게 무슨 소린가? 장례식을 치러야 할 게 아닌가?"

"그렇지만 마들린의 죽음이 너무도 갑작스러워서 의사들이 주제넘게 꼬치꼬치 캐물을 게 뻔하고, 게다가 가족 묘지도 너무 멀고 황폐해서 장례식을 치르기도 쉽지 않네. 나도 여러 가지로 생각해 봤지만 어쩔 수가 없네."

그의 말을 듣고 나니, 나 역시 그녀의 불길한 용모가 떠오르며 그녀에게는 이것이 조금도 부자연스러울 것이 없는 조처라고 생각되어 어셔를 돕기로 결심하였다.

우리는 지하실로 내려가서 시체를 관에 넣은 다음, 단둘이서만 관을 메고 가매장할 곳으로 갔다.

우리가 관을 내려놓은 지하실은 내가 침실로 쓰고 있는 방 바로 밑의 꽤 깊은 곳에 있었다. 너무도 오랫동안 닫혀 있었던 탓에 손에 든 횃불이 숨이 막힐 듯한 공기에 맥을 못 추어 도무지 주위를 분간할 수가 없었다. 지하실은 좁고 축축하고, 햇빛 한 줄기 들어올 틈조차 없는 곳이었다.

아마도 옛날 봉건 시대에는 개인 감옥으로 사용되었던 것 같고, 그 후에는 화약이라든가 또는 그와 같이 불이 붙기 쉬운 물질의 저장소로 사용되었던 듯싶었다.

입구에는 크고 무거운 철문이 굳게 닫혀 있었는데, 그 철문은 무척 크고 무거운 돌쩌귀 위에서 움직일 때마다 삐걱삐걱 소리를 냈다.

이 무시무시한 지하실에는 나무로 된 낮은 선반이 있었는데, 우리는 그 선반 위에 관을 올려놓았다. 관에 못질을 하기 전에 나는 관 뚜껑을 들어 마지막으로 마들린의 얼굴을 보았다.

그 순간 나는 어셔와 마들린의 얼굴이 너무도 닮은 데 깜짝 놀랐다.

내 감정을 눈치챘는지 어셔가 말했다.

"우리는 쌍둥이라네. 그래서 그런지 우리는 신기할 만큼 교감이 일치했었지."

나는 무서워서 오랫동안 시체를 내려다볼 수 없었다.

꽃같이 젊은 그녀의 생명을 빼앗아 간 이 저주스러운 병은, 강직 현상에서 으레 볼 수 있는 증세로서, 가슴과 얼굴에 아직도 희미한 붉은 반점을 남겨 놓았고, 입술 위에는 죽은 사람이라고 보기에는 너무도 무섭고 섬뜩한 미소가 떠돌고 있었다.

우리는 관 뚜껑을 맞추어 못을 박은 뒤 철문을 꼭 닫고, 위층 방으로 돌아왔다.

이렇게 해서 슬픈 며칠이 지나갔다. 그런데 요 며칠 사이 어셔의 신경병 증세가 부쩍 심해진 것 같았다.

세상에 남은 유일한 혈육이었던 쌍둥이 동생이 죽었으니 어셔가 슬퍼하는 건 당연했다. 그러나 마들린의 시체를 지하실에 갖다 놓은 다음부터 어셔의 태도는 매우 이상하였다.

그는 여태까지 하던 일을 등한히 생각하거나 잊어버리기 일쑤였다. 아무 일도 없이 괜히 이방 저방으로 바쁘게 돌아다녔으며, 얼굴은 한층 창백해졌다. 목소리는 극도의 공포에서 나오는 듯한 떨리는 음성으로 바뀌었으며, 다만 눈만 초롱초롱 빛났다.

어셔는 아무 소리도 들리지 않는데도 마치 무슨 소리라도 들리는 것처럼 귀를 기울이고 허공을 멍하니 바라보고 있었다. 그의 이런 행동은 마침내 나까지 공포감에 사로잡히게 하였다.

마들린을 지하실에 가매장한 후 7, 8일째 되는 날, 밤늦게 잠자리에 들었을 때였다.

나는 알 수 없는 두려움에 사로잡혀 잠을 이룰 수가 없었다. 어셔가 가진 그 미신적인 공포가 내게 전염된 것처럼 며칠 동안 신경이 날카롭고 무서운 공포에 휩싸여 있었다.

'아마도 이 방의 가구가 너무 오래 되어서 그럴 거야. 게다가 밖은 비바람이 몰아치고 있으니 말이야.'

나는 이런 생각을 하며 무서움을 가라앉히고자 애를 썼다. 그러나 이러한 노력에도 불구하고 시간이 갈수록 더욱 강한 공포가 나를 엄습해 왔다.

그 때 창 밖에서 이상한 소리가 들려오는 것 같았다.

폭풍이 몰고오는 비바람 소리에 섞여 간간이 들려오는 그 소리는 무언지 알 수는 없지만 나의 신경을 무척 자극하였다. 나는 참을 수 없는 격렬한 감정에 사로잡혀 벌떡 일어났다. 그리고 옷을 걸치고 방 안을 이리저리 서성대며 밀려드는 공포를 줄여 보고자 애를 썼다.

방 안을 두서너 번 왔다갔다 했을때, 방문 밖에서 계단을 올라오는 듯한 발소리가 들려왔다. 그것은 어셔의 발소리임에 틀림없었다.

어셔는 내 방문을 두드리더니 한 손에 램프를 들고 들어왔다. 얼굴빛은 여전히 죽은 사람처럼 창백하였고, 두 눈에는 이글이글 타오르는 광기가 떠돌았다.

그리고 아주 흥분 상태에 있었다. 그의 움직임 하나하나에서는 격렬하게 일어나는 발작을 억지로 참고 있는 듯한 기미가 엿보였다.

나는 어셔의 모습에 놀랐지만 그래도 이런 밤에 혼자 있는 것보다는 낫겠다 싶어 기쁘게 맞아들였다.

"무슨 소리 못 들었나?"

어셔가 물었다.

"글쎄?"

"그래, 자네는 그것을 못 보았나? 그것을 보지 못했어? 그럼, 가만히 있게. 내가 보여 주지."

어셔는 램프를 조심스럽게 손으로 가리고는 창문 쪽으로 달려가 창문 하나를 활짝 열어젖혔다.

확 불어 들어온 폭풍은 우리 두 사람을 날려보낼 듯했다. 폭풍은 온 하늘을 뒤흔들고 있었지만, 그날 밤은 엄숙하게 아름다운 밤, 공포와 아름다움이 뒤섞인 이상한 밤이었다. 회오리바람은 확실히 이 집 부근에다 세력을 집중시키고 있었다. 바람은 시시각각 맹렬한 기세로 방향을 바꿨고, 지붕 위 작은 탑을 누를 듯이 얕게 내리덮인 두꺼운 구름이 심한 바람에 이리저리 흩어졌다.

달도 별도 보이지 않고, 게다가 번갯불도 번쩍이지 않는 칠흑같이 어두운 밤이었다. 집 주변은 자욱한 안개로 싸여 있었고, 그 안개 속에서 희미한 빛이 어슴푸레하게 보였다.

나는 급히 창문을 닫으며 말했다.

"안 돼! 이런 것을 보아서는 안 돼. 자네를 괴롭히는 이러한 경치는 어디서든 흔히 볼 수 있는 전기 현상에 불과한 거야! 이제 그만 창문을 닫게. 바람이 차서 자네 몸에 해로울 거야. 여기 자네가 좋아하는 소설책이 있네. 내가 읽어 줄 테니까 듣고 있게. 그리고 이 무서운 밤을 우리 함께 보내기로 하세."

나는 어셔를 창가에서 억지로 끌어다 앉히며 말했다.

책의 내용은 용감한 기사 에델레드가 마법사와 싸우는 것이었다. 예술적인 기질을 가진 어셔는 시적이고 부드러운 문장을 좋아하였으나, 그때 내 방에 있는 책이라곤 이 책뿐이었으며, 그때의 상황으로는 혹시나 이 우울증 환자의 흥분이 그런 싱거운 이야기를 통해 조금이나마 가라앉기를 기대했다. 이런 색다른 방법도 때로는 정신 이상자의 마음을 가라앉힐 수 있기 때문이다.

사실 내가 읽는 이야기에 어셔가 귀를 기울이고 있는데다, 하나하나 빼놓지 않고 귀담아 듣는 듯한 태도로 미루어 보아 내 계획이 일단은 성공했다고 여겨졌다.

나는 이 소설의 주인공 에델레드가 마법사의 집에 들어가려고 공손히 자신이 찾아온 뜻을 전했으나 마법사가 받아주지 않아서 마침내는 폭력으로 침입하려는 그 유명한 구절에 이르렀다.

"…… 천성이 용맹스러운 에델레드, 들이켠 술의 기운으로 힘이 더욱 솟았다. 이 사악하고도 심술궂은 마법사와 더 이상 담판해도 소용없음을 깨닫고, 마침 그 때 빗방울이 뚝뚝 떨어져 폭풍우가 일어날 기세가 보이므로 선뜻 철퇴를 들어 문 널빤지를 몇 번 후려치니, 순식간에 수갑 찬 손이 들어갈 만한 구멍이 생겼다. 구멍에 손을 틀어넣고 닥치는 대로 잡아채며 꺾고 분지르니, 바싹 마른 널빤지의 깨지는 소리가 사방에 진동하였다……."

여기까지 읽었을 때, 나는 깜짝 놀라 숨을 멈췄다. 왜냐하면 바로 그때 집 안의 어느 한곳으로부터 책에서 나왔던 바로 그 깨지는 듯한 소리가 '쨍그랑' 하고 희미하게 들려오는 것 같았기 때문이었다.

나는 내가 지나치게 책에 몰입한 탓에 환청을 들은 것으로 여겼다.

나는 계속 책을 읽어 내려갔다.

"…… 그러나 용사 에델레드가 문 안으로 들어가 보니, 흉악한 마법사는 자취도 없이 사라지고 없었다. 대신 마법사가 있어야 할 자리에 비늘이 번쩍거리고 혀에서 불을 내뿜는 괴상하게 생긴 용 한 마리가 쭈그리고 앉아, 은으로 번쩍이는 마루 위에서 황금 궁전을 지키고 있었다. 벽에는 찬란한 청동 방패가 걸려 있고, 그 위에는 이렇게 씌어 있었다.

여기 들어온 자는 정복자다.
용을 죽이는 자는 이 방패를 차지할 수 있다.

그것을 본 에델레드가 철퇴로 용의 머리를 내리치니, 용은 그 앞에 푹 거꾸러져 독기를 내뿜으며 무시무시한 괴성을 지르고 쓰러졌다. 그 음침하고 무서운 소리는 고막을 찢을 듯이 시끄러워 용감한 에델레드도 그만 두 손으로 자신의 귀를 막았다…….”

여기서 나는 다시 한 번 깜짝 놀라 읽는 것을 그쳤다.

왜냐하면, 바로 그 때 어디서 들려오는지는 알 수 없었으나 확실히 먼 곳에서 낮게 들려오는, 그러나 날카롭고 길게 외치는 듯하면서도 애원하는 듯한 소리, 이 소설의 작가가 묘사한 용의 기괴한 통곡 소리란 바로 이런 소리가 아니었을까 하고 생각될 정도로 조금도 다름이 없는 소리를 확실히 들었기 때문이다.

나는 이 두 번째의 기괴한 우연의 일치에 깜짝 놀라 극도로 공포를 느꼈다. 하지만 어셔의 예민한 신경을 자극해서는 안 되겠다고 생각하고 꾹 참으면서 마음을 가라앉혔다. 어셔가 이 이상한 소리를 들었는지는 확실히 알 수가 없었다.

하지만 그의 행동이 점차 이상해지는 것만은 틀림이 없었다. 처음에는 나와 마주 앉아 있던 그가 점점 의자를 돌려 나중에는 방문 쪽을 향해 앉았기 때문에, 나는 그의 한쪽 얼굴밖에는 볼 수가 없었다. 그는 무어라고 중얼거리는 것처럼 입술을 달싹였다.

그는 머리를 푹 숙이고 있었으나 옆모습으로 얼핏 보아선 눈을 크게 뜨고 있었으므로 자고 있지 않다는 것만은 알 수 있었다. 그는 불안한 모습으로 쉴 새 없이 몸을 좌우로 흔들었다.

나는 그를 힐끔 바라본 다음 계속해서 책을 읽어 나갔다.

"…… 이제 무서운 용을 물리친 용사 에델레드, 그는 청동 방패를 생각하고 그 위에 씌어 있는 마력을 없애 버릴 생각으로 눈앞에 있는 용의 시체를 한쪽으로 치워 놓은 뒤 배에다 힘을 주고 용감하게도 성의 은마룻바닥을 쿵쿵 울리며 방패가 걸린 벽 쪽으로 달려들었다. 하지만 그가 가까이 가기도 전에 청동 방패는 요란한 금속성의 소리를 내며 에델레드의 발 근처 마루 위에 떨어졌다……."

이 구절이 내 입술 사이로 흘러나오자마자, 바로 그 때 마치 청동 방패가 실제로 은마룻바닥에 무겁게 떨어지는 것 같은 뚜렷하고도 무거운 금속성의 소리가 들려왔다.

나는 깜짝 놀라 벌떡 일어섰다. 그리고 어셔에게 다가갔다.

어셔는 시선을 한곳에 고정시킨 채 있었고, 얼굴은 돌처럼 딱딱하게 굳어 있었다. 그리고 온몸을 사시나무 떨듯 떨었다.

내가 그의 어깨에 손을 얹었을 때 그는 전신을 부들부들 떨며 병적인 미소를 지었다. 그는 내가 들을 수도 없는 작은 목소리로 뭐라고 빠르게 중얼거렸다.

나는 허리를 바싹 굽히고서야 겨우 그의 말을 알아들을 수가 있었다.

"저 소리 안 들려? 나에게는 들리는데. 몇 시간, 아니 며칠 동안 나는 들었어. 그러나 너무나 무서워서 말할 수가 없었어. 그 애가 무덤 속에서 살아나서 걸어오고 있어. 나는 감히 입 밖에 내지 못했네. 부디

나를 불쌍히 여겨 주게! 나는 여동생을 생매장해 버렸단 말일세! 내 감각이 예민한 것은 자네도 잘 알지 않나? 그래, 그 텅 빈 지하실에서 여동생이 꿈틀거리는 희미한 소리가 들려왔네. 며칠 전부터 그 소리를 들었어. 그러면서도 나는, 나는 감히 말을 못한 거야! 그러나 이제, 오늘 밤, 에델레드, 마법사의 집 문이 부서지는 소리, 용이 죽는 소리, 방패가 쨍! 울리며 떨어지는 소리는 차라리 여동생의 관이 부서지는 소리, 또는 지하실 철문의 돌쩌귀가 삐걱거리는 소리, 지하실의 동판을 깐 마룻바닥에서 그 애가 기를 쓰는 소리라고 하는 것이 옳을 걸세! 아! 어디로 도망쳐야 할까? 그 애가 곧 이리로 오진 않을까? 내가 서둘러 자기를 묻어 버린 걸 따지려고 오는 건 아닐까? 계단을 올라오는 그 애의 발소리가 들리지 않나? 아직 심장이 뛰고 있는데 자기를 관 속에 매장했다고 내게 따지러 오는 걸 거야!"

나는 어셔의 미친 듯한 중얼거림으로 모든 사실을 알아차렸다.

어셔는 여동생를 산 채로 관에 넣고 지하실에 가둔 것이었다. 그리고는 몇날 며칠을 죄책감과 두려움에 시달려온 것이다. 그 때문에 밖에서 나는 소리가 마들린이 살아서 나오는 소리라고 생각한 것이다.

"미친놈!"

어셔가 날카로운 소리를 외치며 벌떡 일어섰다.

"난 미친놈이야! 마들린이 바로 문 밖에 서 있어!"

어셔의 초인간적으로 외치는 기세에 마법이라도 걸렸는지, 그가 가리킨 문이 스르르 열리더니, 몸에 수의를 감은 마들린이 문 앞에 서 있었다.

그녀의 흰 옷은 관을 부수고 쇠문으로 굳게 닫힌 지하실을 빠져 나오느라 온통 피투성이가 되어 있었다. 그녀의 몸 군데군데에는 격렬한 몸부림의 흔적이 역력히 보였다.

그녀는 잠시 몸을 부르르 떨더니 문지방을 넘어 이리저리 비틀거리면서 조그만 신음 소리와 함께 방 안에 있는 오빠에게로 쓰러졌다.

그리고 잠시 후 일어나더니, 너무도 고통스러운 비명을 지르며 어셔를 마룻바닥에 내던지자, 그는 그만 시체가 되어 버렸다. 그녀는 죽음의 마지막 고통에 몸부림치면서 자신을 생매장한 오빠를 저승길 동무로 선택한 것이었다.

어셔는 결국 자신이 예상하고 있던 것처럼 공포의 희생이 되고 만 것이다.

나는 죽을 힘을 다하여 그 방에서 도망쳤다. 돌이 깔린 오래된 길을 지나고 있을 때 폭풍은 한층 더 심해져 하늘을 온통 휩쓸고 있었다.

그 때 갑자기 한 줄기 빛이 길 위에 번쩍였다. 어디서 이러한 빛이 갑자기 흘러나왔나 하고 나는 뒤돌아보았다. 보일락말락한 벽의 갈라진

틈새로 붉은 달이 희미하게 비치고 있었다.

우두커니 서서 바라보고 있자니, 그 갈라진 부분은 점점 넓어지고, 회오리바람이 한 번 휙 불더니 달 모양이 갑자기 내 눈앞에 둥그렇게 나타났다.

그리고는 요란한 굉음과 함께 어셔 가의 거대한 벽이 무너지며 산산조각이 나 쏟아지는 것을 보았다. 한참 동안 시끄러운 소리를 내며 무너져 내린 어셔 가는 호수에 잠겨 오누이와 함께 영원히 자취를 감추어 버렸다.

황금 풍뎅이

수년 전부터 나는 윌리엄 레그랜드라는 사람과 가깝게 지냈다. 그는 전통 깊은 위그노 교도 집안 사람으로, 한때는 큰 부자로 호화로운 생활을 했지만, 그 후 계속 닥쳐온 불행으로 말미암아 빈궁한 처지에 놓이게 되었다.

레그랜드는 그러한 재난 끝에 으레 따라다니는 주위 사람들의 욕설을 피하기 위하여 선조 대대로 살아 오던 뉴올리언스 시를 떠나, 사우스캐롤라이나 주의 찰스턴 근처에 있는 설리번 섬으로 이사해 버렸다.

설리번 섬은 무척 기이하게 생긴 섬이었다. 섬 전체가 대부분 모래로만 되어 있고, 길이는 5킬로미터 가량이며, 너비는 어디든 400미터를 넘지 않았다. 또한 본토와는, 황새들이 즐겨 모여드는 갈대밭과 진흙탕의 넓은 늪을 흐르는 조그마한 강으로 구분되어 있었다.

서쪽 끝에 있는 몰트리 요새에 근무하는 군인을 제외하면, 여름 한때 찰스턴의 먼지와 더위를 피해 오는 사람들이 거처하는 몇 채의 쓸쓸하고 초라한 집들만 있을 뿐인 무인도 같은 섬이었다.

그러나 이 서쪽 끝과 하얀 모래가 깔려 있는 해안선을 제외하고는 섬 전체가 울창한 떨기나무로 덮여 있었다. 이 나무들은 높이가 5미터 이상 되는 것들도 드물지 않았는데, 좀처럼 헤치고 들어갈 수 없을 만큼 빽빽하게 우거져 있으며, 근처의 공기는 나무의 향기로 가득 차 있었다.

레그랜드는 바로 이 숲 속 제일 안쪽에, 즉 섬의 동쪽으로부터 그리 멀지 않은 곳에 오막살이 한 채를 지어 주피터라는 늙은 흑인과 함께 살고 있었다.

레그랜드는 많은 교육을 받았고 명석한 두뇌를 가졌지만, 계속된 불행으로 우울증을 앓고 있었다. 또, 그는 무엇에 한참 열중하다가도 금방 싫증을 내는 괴이한 버릇도 있었다. 그에게는 상당히 많은 책이 있었지만 별로 읽지는 않았다.

그가 주로 하는 일은 사냥, 고기잡이, 그리고 바닷가와 숲 속을 이리저리 쏘다니며 조개 껍데기라든가 곤충을 채집하는 것이었다. 특히 곤충 채집에 있어서는 슈밤메르담 같은 대곤충학자도 부러워할 정도였다.

레그랜드가 곤충 채집을 나갈 때에는 반드시 주피터와 함께 갔다. 주피터는 레그랜드 집안이 몰락하기 전에 벌써 해방된 몸이었지만, 젊은 '윌 도련님'의 뒤를 좇아다니는 것을 마치 자기의 특권처럼 생각하는 흑인이었다. 그래서 떠나라고 위협도 해 보고 달래도 보았지만 막무가내로 듣지 않았다. 레그랜드의 친척들이 그의 정신이 온전치 못하다는 사실을 알고서, 그를 감독하고 보호하기 위해 주피터의 머리에 그러한 버릇을 심어 주었는지도 모를 일이었다.

설리번 섬은 위도상 겨울이라고 해도 그다지 춥지 않은 위치에 있었다. 따라서 가을에는 불을 피우지 않아도 견딜 수 있었다.

그런데 18××년 10월 중순경, 내가 그 곳을 방문한 날은 가을인데도 한겨울처럼 추웠다.

해가 막 저물기 시작하는 시각에 나는 몇 주 동안 만나지 못한 레그랜드를 찾아갔다. 그 때 나는 이 섬에서 14킬로미터 떨어져 있는 찰스턴에 살고 있었다.

나는 레그랜드의 오두막집에 도착하여 늘 하던 버릇대로 문을 두드렸다. 하지만 아무런 대답이 없었다. 그래서 나는 전부터 알고 있는 열쇠통에서 열쇠를 꺼내 문을 열고 안으로 들어갔다.

난로에 불이 활활 타오르고 있어 집 안은 무척 따뜻했다. 난로에 불이 피워져 있는데도 그가 없는 것이 좀 이상하긴 했지만, 나는 외투를 벗고는 따뜻한 난로 앞으로 의자를 끌어다 놓고 앉아 주인이 돌아오기를 기다렸다.

레그랜드와 주피터는 해가 진 지 얼마 안 되어 돌아왔다. 두 사람은 나를 진심으로 반겨 주었다. 주피터는 입을 커다랗게 벌리고 웃어대면서, 저녁식사로 뜸부기 요리를 하겠다고 수선을 피웠다.

그 때, 레그랜드에게 갑자기 무엇인가에 열중하는 그 괴벽이 다시 일어난 것 같았다.

그가 말하길, 자신은 아직 세상에 알려지지 않은 새로운 쌍조개 껍데기를 발견했고, 게다가 주피터의 도움으로 아주 희귀종으로 보이는 풍뎅이를 한 마리 잡았는데, 그것에 관해 내일 아침 내 의견을 듣고 싶다는 것이었다.

"왜 오늘 밤에는 안 되겠나?"

나는 불을 쬐던 손을 비비며, 풍뎅이가 뭐 대단한 거냐고 속으로 중얼거리면서 물었다.

"아, 자네가 오늘 올 줄 내가 어떻게 알았겠나? 우리가 만난 지 꽤 오래되지 않았나. 나로선 자네가 하필 오늘 오리라는 걸 짐작도 못 했지. 그래서 오는 길에 요새의 코윈 중위를 만나 그걸 빌려 주었네. 그러니 내일 아침까지 기다릴 수밖에 없지 뭔가. 오늘 밤 우리 집에서 쉬게. 그러면 내일 새벽에 주피터를 보내 찾아오게 할 테니까. 세상에서 가장 아름다운 것일세."

"뭐? 해뜨는 것 말인가?"

나는 세상에서 가장 아름다운 것을 일출이라고 오해하였다.

"무슨 뚱딴지 같은 소리야? 아니, 풍뎅이 말이야. 번쩍이는 황금빛이 돌고 커다란 호두알만해. 등 한쪽 끝에는 시꺼먼 점이 두 개 있고, 그 반대쪽에는 그보다 좀 긴 점이 한 개 있다네. 촉각은……."

"촉각 같은 건 없었어요. 도련님도 원, 그렇게 얘길 해도."

주피터가 말을 가로챘다.

"그건 진짜 황금 풍뎅이에요. 날개만 빼놓고는 온몸이 순금이던데요. 내 평생에 그토록 무거운 풍뎅이는 본 적이 없다니까요."

"이봐, 주피터. 그렇다고 우리 대화에 끼어들다니……."

레그랜드가 주피터를 꾸짖었다. 그리고는 나를 돌아보며 이야기를 계속 하였다.

"그 풍뎅이 빛깔 말인데, 주피터가 저렇게 말하는 것도 무리가 아닐세. 자네도 아마 그런 빛깔은 아직 보지 못했을걸. 내일 아침에 실물을 보여 주기 전까지는 뭐라고 말할 수가 없네. 그러나 그 형태만은 지금 얘기할 수 있지."

레그랜드는 풍뎅이의 모양을 그리기 위해 책상 쪽으로 다가갔다. 하지만 펜과 잉크만 있을 뿐 종이가 한 장도 없었다. 서랍 속을 뒤져 보았으나 거기에도 종이는 없었다.

"여기에다 그리지, 뭐."

그는 조끼 주머니에서 아주 더러운 양피지를 꺼내, 그 위에다 풍뎅이의 형태를 대강 그렸다. 그 동안 나는 난로 옆에 가만히 앉아 있었다.

그림을 다 그린 레그랜드가 그것을 나에게 내밀었다.

내가 그림을 받았을 때 밖에서 개 짖는 소리가 크게 나더니, 뒤이어 발톱으로 문을 긁는 소리가 들렸다. 주피터가 문을 열어 주자, 레그랜드가 기르고 있는 개가 뛰어들어와 나의 어깨에 매달려 마구 핥으며 야단을 피웠다. 이 집에 올 때마다 귀여워해 주었기 때문에, 내가 온 것이 무척 반가운 모양이었다.

개와의 인사가 끝났을 때, 나는 레그랜드의 그림을 들여다보았다.

그림을 보던 나는 깜짝 놀랐다.

"이거 참 이상한 풍뎅이인걸. 아직까지 이런 건 보지 못했어. 내가 이제까지 봐 온 풍뎅이 중에서 해골하고 제일 많이 닮았어."

"해골이라!"

레그랜드는 내 말을 되풀이했다.

"종이 위의 그림은 그렇게 보일지도 모르겠군. 위쪽의 두 개의 검은 점은 눈처럼 보이고, 아래쪽에 있는 긴 점은 입처럼 보이고 말이야. 그리고 전체의 모양이 타원형이니까."

"확실히 해골과 비슷해. 하지만 레그랜드. 자네는 그림이 서투른 것 같군. 세상에 이렇게 생긴 풍뎅이가 어디 있나? 나는 실물을 보지 않고는 뭐라고 말할 수가 없어."

"음, 그래? 난 그림을 꽤 잘 그리는 편인데, 그깟 풍뎅이쯤이야. 대가한테 배운 적도 있어서 그림에 있어선 남에게 뒤떨어지지 않는다고 자부하네."

레그랜드가 뿌루퉁해서 말했다.

"그렇다면 자네는 지금 농담을 하고 있는 걸세. 이것은 누가 보든 틀림없는 해골일세. 자네가 발견한 풍뎅이가 정말 이렇게 생겼다면 정말 이상야릇한 풍뎅이인걸. 아, 이것을 힌트로 해서 그 풍뎅이 이름을 해골 풍뎅이라든가, 혹은 그와 비슷한 이름을 붙이면 어떻겠나? 생물학에는 그런 명칭이 얼마든지 있으니까 말이야. 그건 그렇고, 자네가 말하는 그 촉각은 어디 있었나?"

"아, 촉각 말이지!"

레그랜드가 몹시 흥분해서 말했다.

"그려져 있잖아, 거기. 실물에 붙어 있는 것처럼 똑같이 그려 놓았으니까 알아볼 텐데 그러네."

"그래? 자네는 그렸을지 모르겠지만, 내 눈에는 안 보이는걸."

나는 레그랜드가 화를 낼까 봐 더 이상 말을 않고 종이를 그에게 돌려주었다.

그러나 다시 한 번 힐끔 그림을 본 나는 깜짝 놀랐다.

정말이지, 풍뎅이의 그림에서 레그랜드가 그렸다는 촉각은 전혀 찾아볼 수가 없고, 영락없는 해골 모양이었기 때문이다.

레그랜드는 불쾌한 표정으로 종이를 건네받았다. 그리고 그것을 불 속에다 집어던지려고 막 구기려다가 무심코 그림을 한 번 보더니 갑자기 얼굴이 굳어졌다.

그의 얼굴은 새빨개지더니 다시 새파랗게 변하고 말았다. 그는 의자에 앉은 채로 몇 분 동안 종이를 살펴보더니 마침내 벌떡 일어섰다. 그러더니 책상에서 촛불을 집어들고 양피지에 이리저리 비추면서 무엇인가를 조사하였다.

나는 갑작스런 그의 태도에 내심으로 무척 놀랐다. 그러나 괜히 쓸데없는 소리를 해서 그의 화를 돋우지 않는 편이 좋을 성싶었다.

잠시 후에 그는 웃옷 주머니에서 지갑을 꺼내 종이를 그 속에 조심스럽게 넣은 다음, 서랍 속에 넣고 자물쇠를 채웠다.

그의 태도는 다소 가라앉아 있었다. 어찌 보면 화가 나 있는 것 같기도 하고, 넋이 빠진 것도 같았다. 좀전의 흥분했던 태도는 씻은 듯이 사라져 있었다.

밤이 깊어 감에 따라 그는 점점 더 깊이 생각에 빠져드는 것만 같았고, 내가 아무리 농담을 해도 그의 기분이 좋아지질 않았다.

전에도 이 곳에서 잔 적이 있었으므로 오늘 밤도 자고 갈 작정으로 왔지만, 레그랜드의 기분 상태로 보아 그만 떠나는 것이 좋을 듯했다.

"잘 있게, 레그랜드."

내가 작별 인사를 하자, 레그랜드는 다른 때와는 달리 내 손을 힘껏 잡아 주었다.

이 일이 있은 지 한 달이 지난 후, 주피터가 찰스턴으로 나를 찾아왔다.

나는 이 착한 흑인이 이 때처럼 기운 없이 어깨를 축 늘어뜨리고 낙심하는 것을 본 적이 없었다. 나는 레그랜드에게 무슨 큰일이 생긴 건 아닐까 걱정이 되어 급히 물었다.

"웬일이야, 주피터? 레그랜드는 잘 있나?"

"그게 좀……. 제가 이렇게 불쑥 찾아온 것도 사실은 주인님이 편치 못해서입니다."

"편치 못하다고? 어디가 아픈가?"

"그게 말이죠. 도련님 자신은 아무 데도 아픈 데가 없다고 그러는데, 어디가 아픈 것이 틀림없어요."

"그런데 왜 더 일찍 알리지 않았어? 레그랜드는 누워 있나?"

"아뇨. 누워 있지는 않아요. 그것이 오히려 더 걱정이에요. 난 도련님 일로 걱정이 되어 아주 미칠 지경이에요."

"주피터, 난 자네가 무슨 말을 하는지 도무지 알 수가 없네. 자네 얘기로는 주인이 편치 않은 건 확실해 보이는데, 레그랜드가 자네에게 어디가 아프다는 얘기도 안했단 말인가?"

"아무리 물어 봐도 도련님은 괜찮다고만 말해요. 하지만 아무렇지 않은데, 왜 머리를 숙인 채 어깨를 들썩이며 도깨비처럼 새파란 얼굴을 해 가지고 쏘다니는 거죠? 그리고 밤낮 숫자만 쓰고 계시니…….”
“뭘 쓰고 있다고, 주피터?”
“석판 위에다 이상한 부호와 숫자만 쓰고 계세요. 난 그런 별난 부호 따윈 처음 보는데, 정말 딱 질색이에요. 또 항상 주인을 감시해야만 해요. 며칠 전에는 해도 뜨기 전에 슬그머니 나가서 하루 종일 안 들어왔어요. 들어오기만 하면 아주 혼을 내려고 굵은 몽둥이를 준비해 놓았다가, 주인이 너무도 핼쑥한 꼴로 들어오는 걸 보고는 그만뒀지요.”
“아니, 뭐, 뭐야? 아, 그래! 주인한테 그런 짓을 해서야 되나? 그건 그렇고, 주인이 왜 그런 병에 걸렸는지, 왜 그러고 돌아다니는지 통 모르겠나? 요전에 내가 다녀온 뒤에 무슨 좋지 않은 일이라도 생겼나?”
“아뇨, 그런 것은 없었어요. 아마 그 전에 무슨 일이 있었나 봐요. 다녀가신 바로 그 날 말이죠.”
“아니, 그게 무슨 말이야?”
“그 풍뎅이 있잖아요…….”
“뭐, 뭐라고?”
“아, 그 풍뎅이한테 윌 도련님이 머리를 물렸나 봐요.”
“그게 정말인가? 어디 물린 흔적이라도 있나?”
“그 날카로운 다리며……. 어휴, 그 주둥이, 난 그런 끔찍한 녀석은 처음 봤어요. 다가가기만 하면 아무것이나 물어뜯으려고 덤비지요. 윌 도련님도 그놈을 붙잡았다가 질겁해서 놔 버렸어요. 아마도 그 때 물렸나 봐요. 난 그 벌레의 주둥아리나 꼬락서니가 보기 싫어 손으로는 누르고 싶지 않아 눈에 띄는 종이로 눌렀어요. 그걸로 싸서 주둥아리에다 그 종이 끝을 틀어박았지요. 이렇게요.”

"자네는 주인이 풍뎅이에게 물려서 병이 났다고 생각한단 말이지?"

"생각하는 게 아니라 틀림없는 사실이에요. 그 황금 풍뎅이한테 물리지 않고서야 그렇게 황금의 꿈만 꾸고 있을 턱이 없잖아요. 난 전에도 황금 풍뎅이 얘기를 들어서 그런 것쯤은 다 알고 있다고요."

"그런데 주인이 황금의 꿈을 꾸는지는 어떻게 알지?"

"그야 도련님이 잠꼬대까지 하는데 그걸 모르겠어요?"

"음, 그래? 그렇다면 자네 말이 옳겠군. 그건 그렇고, 무슨 바람이 불어서 나한테 왔나?"

"왜 왔느냐고요?"

"레그랜드가 무슨 부탁이라도 하던가?"

"이 편지를 가지고 왔어요."

주피터는 이렇게 말하고는 나에게 쪽지 한 장을 건네주었다. 쪽지에는 다음과 같이 적혀 있었다.

친애하는 벗에게

왜 이렇게 오랫동안 와 주지 않는 건가? 전에 왔을 때 자네에게 좀 무심하게 대해서 그러는 건 아니겠지? 그렇지 않으리라 믿네. 자네가 간 다음 내게는 큰 두통거리가 하나 생겼네. 그런데 그걸 어떻게 얘기해야 좋을지……. 사실 요사이 내가 몸이 좀 힘든데, 그 늙은 주피터가 어찌나 걱정을 하는지 도저히 못 견디겠네.

이런 얘기를 자네는 얼마만큼 믿어 줄는지. 어느 날 나는 주피터 몰래 혼자서만 본토의 산 속에서 하루를 보낸 적이 있었는데, 주피터는 그 때문에 나를 혼내려고 굵은 몽둥이를 준비해 두고 있었다네. 사실 내 안색이 핼쑥했기에 망정이지, 그렇지 않았으면 큰일날 뻔했네. 자네가 다녀간 뒤로 여태껏 채집은 별로 하지 못했네. 될 수 있으면 주피터와 함께 이 곳으로 급히 와 주게. 아니, 꼭 와 주게. 중요한 일로 오늘 밤 자네를 꼭 만나고 싶네. 너무나 중요한 일임을 다시 한 번 강조하네.

윌리엄 레그랜드

레그랜드의 편지는 뭔지 모를 불안함을 느끼게 했다. 편지의 글씨도 평소의 그의 필체와는 많이 달랐다. 대체 그는 무슨 꿈을 꾸고 있는 것일까? 무슨 생각이 또 느닷없이 흥분하기 쉬운 그의 머릿속을 어지럽게 했을까? 그는 지금 어떤 사건에 부딪혀 있는 것일까?

주피터의 말로 미루어 보면 결코 좋은 일 같지는 않았다. 나는 거듭되는 불행이 기어이 레그랜드의 이성을 빼앗아 간 것이 아닌가 하는 걱정을 하였다.

나는 망설이지 않고 주피터와 떠날 준비를 하였다.

부두에 도착했을 때 방금 사 온 듯한 한 자루의 큰 낫과 세 자루의 삽이 보트 안에 놓여 있는 것이 눈에 띄었다.

"이건 도대체 뭐야?"

"도련님이 사 오라고 하신 낫과 삽이에요."

"도대체 이걸 어디에 쓸 거야?"

"윌 도련님이 하도 사 오라고 해서 샀어요."

"아 글쎄, 자네의 도련님이 이 낫과 삽을 무엇에 쓰려고 하느냔 말야?"

"난들 알 수 있나요? 이게 모두 그놈의 황금 풍뎅이 때문이에요."

무엇이든 황금 풍뎅이 탓만 하고 있는 주피터에게서는 무엇 하나 만족할 만한 대답을 얻을 성싶지 않았다. 우리는 서둘러 보트를 타고 출발했다.

순풍을 받은 보트는 얼마 지나지 않아 몰트리 요새 북쪽에 있는 조그마한 포구로 들어갔다. 우리는 거기서 약 3킬로미터쯤 걸은 후 레그랜드의 오막살이에 도착했다.

우리들이 도착한 때는 오후 3시경이었는데, 레그랜드는 우리 두 사람을 목빠지게 기다리고 있었다.

"여어, 정말 오랜만이군."

레그랜드는 반가워서 내 손을 꽉 붙잡았다.

나는 그 동안 레그랜드의 얼굴이 몹시 변한 것을 보고 깜짝 놀랐다. 얼굴이 몹시 창백하고 움푹 들어간 두 눈에서는 이상한 광채를 발하고 있었다. 그의 건강에 대하여 두서너 마디 물어본 후 그만 말문이 막혀 버렸으므로, 코윈 중위에게서 그 풍뎅이를 찾아왔느냐고 물었다.

레그랜드는 몹시 흥분한 목소리로 대답했다.

"그럼, 다음 날 아침 대번에 찾아왔지. 무슨 일이 있더라도 다시는 그 풍뎅이를 내놓지 않겠네. 주피터의 말이 사실이었어."

"그게 무슨 뜻이야?"

내가 물었다.

"주피터가 말한 대로 그건 진짜 황금 풍뎅이였어."

레그랜드가 너무나 진지한 표정으로 말했으므로, 나는 가슴이 철렁 내려앉았다.

"이 풍뎅이가 내 팔자를 고쳐 줄 걸세."

그는 득의양양한 미소를 띠며 말을 이었다.

"우리 집 재산을 도로 회복시켜 줄 거란 말일세. 그러니 그놈을 끔찍이 아끼지 않을 수가 없지. 복덩어리가 내게 굴러들어왔으니까 말이야. 그걸 잘 이용하기만 하면 나는 돈방석 위에 올라앉을 수 있을 걸세. 주피터, 가서 그 풍뎅이를 가지고 와!"

"그 벌레를요? 도련님이 가지고 오세요, 난 싫습니다."

주피터는 고개를 절레절레 흔들었다.

하는 수 없이 레그랜드가 유리 상자 속에서 풍뎅이를 꺼내 가지고 왔다.

그것은 아름다운, 그 당시 생물학자들에게조차 알려지지 않은 귀한 풍뎅이였다.

등의 한쪽 끝에는 두 개의 둥근 흑점이 있고, 다른 쪽 끝 근처에는 또 하나 기다란 흑점이 있었다. 몸을 둘러싸고 있는 껍데기는 무척 단단하고 번쩍거려 마치 반짝반짝 빛나는 황금 같았다. 또한 대단히 무거웠으므로, 주피터가 황금이라고 생각한 것도 당연하다고 느껴졌다.

그런데 레그랜드가 어떻게 해서 주피터와 생각이 일치하게 되었을까? 아무리 생각해 보아도 알 수 없는 일이었다.

"내게 찾아온 행운과 풍뎅이에 관한 계획을 실천에 옮기려면, 자네의 충고와 도움이 필요할 것 같아서 오라고 한 것일세."

내가 풍뎅이를 다 살펴보고 났을 때 레그랜드가 말했다.

"여보게, 레그랜드."

나는 그의 말을 가로막으며 목소리를 높였다.

"자네는 병이 난 것이 확실해. 아무래도 누워서 쉬는 게 좋겠어. 자네 병이 나을 때까지 한 2,3일 자네 옆에 있어 주겠네. 어디 열 좀 재어 보세."

나는 그의 이마를 짚어 보았지만 열은 조금도 없었다.

"열은 없어도 자네는 병에 걸린 것이 분명해. 내 말을 듣게나. 자, 우선 눕게. 그 다음엔……."

"자네는 쓸데없는 걱정을 하는군."

레그랜드가 내 말에 화를 냈다.
“나는 지금 대단히 흥분하고 있긴 하지만, 건강 상태는 더할 나위 없이 좋아. 자네가 정말 내 건강이 염려된다면 이 흥분 상태로부터 나를 건져 주게.”
“어떻게 하면 되겠나?”
“그야 간단하지. 나와 주피터는 이제부터 본토에 있는 산으로 탐험의 길을 떠나려고 하는데, 이 탐험에 신뢰할 만한 사람의 도움이 필요하단 말일세. 그런데 그 일에 자네가 적임자네. 알겠나? 성공하든지 실패하든지 간에 아무튼 자네가 도움을 주면, 자네가 걱정하는 내 흥분 상태는 가라앉을 걸세.”
“그야 얼마든지 도와주고 싶네. 그런데 이 풍뎅이가 자네 탐험과 무슨 관계가 있단 말인가?”
“있고말고!”
“그렇다면 레그랜드. 난 그런 어리석은 탐험에는 참가할 수 없네.”
내가 흥미 없는 듯 말했다.
“정말 유감이군. 그렇다면 우리끼리 출발할 수밖에 없군.”
“자네들끼리만 간다고? 아니, 이 사람 미쳤나! 아냐, 나도 가지. 그러면 집에는 언제 돌아올 작정인가?”
“어쩌면 오늘 밤 내내 비워 두어야 할 거야. 지금 바로 떠나면 무슨 일이 있어도 새벽까지는 돌아올 수 있을 걸세.”
“레그랜드, 그럼 나와 약속해 주게. 탐험이 끝나고 집으로 돌아오면, 내 충고를 의사의 지시로 알고 따라 주겠다고 말이야.”
“그래, 약속하지. 자, 그럼 곧 떠나세. 우물쭈물하고 있을 시간이 없어.”
나는 무거운 마음으로 레그랜드의 뒤를 따랐다.

우리 세 사람은 개를 데리고 오후 4시경에 집을 출발하였다. 주피터는 낫과 삽을 혼자서 들고 가겠다고 고집을 부렸다. 그것은 그가 부지런하고 온순해서가 아니라, 주인 옆에 그런 것들을 놓는 것이 위험하다고 여겨서 그러는 것이었다.

주피터는 우리들이 뭐라고 해도 듣지 않았으며 내내,

"그놈의 빌어먹을 풍뎅이놈이."

만을 되풀이했다.

나는 램프 두 개를 들고 걸었는데, 레그랜드는 아무것도 들지 않고 황금 풍뎅이만으로 만족하다는 듯이, 짧은 가죽끈 끝에 잡아매 들고 걸어가며 마치 요술쟁이처럼 이리저리 휘휘 휘둘렀다.

나는 아무래도 이 친구가 정신 이상에 걸린 것만 같아 눈물이 쏟아질 지경이었다. 그러나 확실한 증거가 나타날 때까지는 제멋대로 내버려 두는 것이 좋을 것 같았다.

나는 레그랜드에게 우리들이 하려는 탐험의 목적이 무엇이냐고 물어보았지만, 그는 아무런 대답도 하지 않았다. 나를 설득해서 데리고 온 것만이 다행이라는 태도였다.

"도대체 본토에는 뭐 하러 가나?"

"이제 곧 알게 될 걸세."

계속 이런 식이었다.

우리는 보트를 타고 섬 끝에 있는 작은 강을 건너 본토 해안에 배를 매 두었다. 언덕을 기어올라 사람 발자국 하나 없는 황량하고 쓸쓸한 숲을 지나 북쪽으로 계속 걸어갔다. 레그랜드는 전에 혼자 왔을 때 해둔 표시를 찾기 위해 가끔씩 발길을 멈추었다.

이렇게 두어 시간 걸어가자, 여태까지 지나온 것보다도 더욱 황량한 곳에 도착했다.

그 때, 해가 막 기울어 가고 있었다.

그 곳은 사람들이 함부로 접근할 수 없는 산꼭대기로, 나무가 울창하게 우거져 있었다. 커다란 바위들이 군데군데 솟아 있었는데, 대부분이 나무에 걸려 골짜기로 굴러 떨어지는 것을 겨우 면하고 있었다. 사방이 막힌 깊은 골짜기는 주위의 경치를 한층 장엄하게 만들었다.

우리들이 기어 올라간 산꼭대기에는 온통 가시덤불이 뒤덮여 있었다.

주피터는 레그랜드의 지시에 따라 낫으로 가시덤불을 잘라 나가기 시작하더니, 높이 솟아 있는 백합나무 둥치의 가장자리까지 이르는 길을 만들었다. 그 나무는 주위에 열 그루 남짓한 백양나무를 거느린 채 산꼭대기에 우뚝 서 있었는데, 그 줄기와 잎이 퍼진 모양이라든가, 나뭇가지가 멀리까지 퍼진 그 늠름한 자태는 지금까지 내가 봐 온 어떤 나무들보다 훌륭했다. 우리들이 이 백합나무까지 왔을 때 레그랜드가 주피터를 돌아보며 물었다.

"이 나무 위로 올라갈 수 있겠나?"

주피터는 한참을 망설이며 대답이 없었다. 그러더니 나무 기둥 주위를 한 바퀴 천천히 돌며 자세히 살피고 나서 말했다.

"네, 도련님. 저는 평생 동안 못 올라가는 나무가 없었는걸요."

"그럼 될 수 있는 대로 빨리 올라가. 어두워지면 안 보일 테니까."

"어디까지 올라가란 말씀인가요, 도련님?"

"우선 원줄기로만 올라가. 그 다음은 올라간 다음에 말해 줄 테니까. 어이, 잠깐 기다려! 이 풍뎅이를 가지고 올라가."

"뭐라고요? 그 황금 풍뎅이 말이에요?"

주피터는 기겁을 하며 소리질렀다.

"그까짓 건 뭐 하러 가지고 올라갑니까? 난 죽어도 싫어요!"

"너같이 몸집이 큰 검둥이가 요까짓 조그만 풍뎅이 하나가 무서워서 그래? 자, 그럼 이 가죽끈 끝을 붙잡고 올라가. 그래도 싫어? 내 말 안 들으면 이 삽으로 머리를 갈겨 버릴 테다."

"그걸 도대체 어쩌란 말씀이에요, 도련님?"

주피터는 핀잔을 듣고 나서야 순순히 복종하는 눈치였다.

"아까는 그냥 그래 본 거였어요. 다 농담이었어요. 내가 고까짓 걸 무서워할 줄 알아요? 자, 이리 내요. 고까짓 것!"

주피터는 말은 이렇게 하면서도 가죽끈 끝을 조심스레 붙잡고 되도록 몸에서 멀찌감치 떼면서 올라갈 준비를 했다.

미국의 삼림에서 자라는 나무 중에서 가장 멋진 백합나무는 어릴 때는 줄기가 밋밋하며, 옆으로 가지를 뻗지 않고 그냥 꼿꼿이 위로만 자란다. 그러다가 어느 정도 자라면 껍질에 울퉁불퉁한 혹이 생기며 조그마한 곁가지가 나온다. 따라서 다른 나무에 비해 올라가기가 무척 힘들다.

주피터는 두 팔과 무릎으로 큰 줄기를 꽉 껴안고, 두 손으로 나무의 혹을 움켜잡고, 발바닥으로는 다른 혹을 조심스레 딛고 제일 아래 있는 굵은 가지까지 올라갔다. 나무의 높이는 15미터 정도 되어 보였다.

"윌 도련님, 이젠 어디로 갈까요?"

"제일 굵은 가지로 올라가! 이쪽으로."

레그랜드가 말했다.

주피터는 곧 재빠르게 주인이 시키는 대로 따랐다. 별로 힘들어 보이지는 않았다. 주피터의 몸은 점점 더 우거진 나뭇가지에 덮이더니, 마침내 보이지 않게 되었다.

잠시 후에 큰 소리로 묻는 소리가 들려왔다.

"위로 더 올라가야 되나요?"

"얼마나 올라갔어?"

"꽤 많이 올라왔어요. 나무 위로 하늘이 보여요."

"하늘 같은 건 소용없어. 그리고 이제부터 내 말 똑똑히 들어. 줄기를 내려다보면서 이쪽 아래에 있는 나뭇가지를 세어 봐. 몇 가지나 지났지?"

"하나, 둘, 셋, 넷, 다섯. 이쪽으로 다섯 개인데요."

"그럼 하나 더 올라가."

곧 일곱 번째 가지에 이르렀다는 외침이 들려왔다.

"자, 이제는 주피터!"

레그랜드가 몹시 흥분한 목소리로 외쳤다.

"될 수 있는 대로 그 가지를 타고 끝까지 나가 봐. 그래서 이상한 것이 눈에 띄면 바로 알려 줘야 돼."

레그랜드의 행동을 지켜보던 나는 기가 막혔다. 나는 레그랜드가 미쳤다는 것에 설마하고 있다가, 이 장면을 목격하고는 그가 제정신이 아니라는 사실에 확신을 갖게 되었다.

나는 어떻게 하면 그를 집으로 데리고 갈 수 있을까를 골똘히 궁리하였다.

그 때, 주피터의 소리가 다시 들려왔다.

"이 가지는 끝까지 갈 수 없어요. 무서워요. 가지 끝 쪽으로는 썩었다고요."

"썩은 가지야, 주피터?"

레그랜드가 떨리는 목소리로 물었다.

"그래요, 도련님! 아주 푹 썩었어요. 썩어서 말라비틀어졌다고요."

"그럼 이제 어떻게 한담……?"

레그랜드가 무척 실망한 목소리로 중얼거렸다.

"어떻게 하냐고?"

나는 말할 기회가 생겨 기뻤다.

"뭘 어떡해? 빨리 집으로 돌아가서 눕게. 자, 가세. 그게 상책이야! 날도 저물어 가고, 게다가 아까 나하고 한 약속도 있지 않나?"

하지만 레그랜드는 내 말을 듣는 둥 마는 둥 하고 위를 올려다보며 소리쳤다.

"주피터, 내 말 들리나?"

"네, 도련님. 똑똑히 들려요."

"그러면 말야, 칼로 깎아 봐. 아주 썩었는지 어떤지."

잠시 후에 주피터가 대답했다.

"그리 대단치 않은 것 같아요. 나 혼자라면 갈 수 있을 것 같아요."

"너 혼자라면이라니! 그게 무슨 소리야?"

"풍뎅이 말이에요! 너무도 무거워서요. 이놈말고 저 혼자만으로야 가지가 부러지겠어요?"

"아니, 뭐라고? 이 망할 놈아!"

레그랜드는 이렇게 소리쳤지만, 속으로는 안심이 되는 모양이었다.

"풍뎅이만 떨어뜨려 봐라, 모가지를 비틀어 죽일 테니까. 이것 봐, 주피터, 내 말 알아들었지?"

"알았어요, 도련님. 괜히 욕을 하시고 난리야."

"내가 시키는 대로 하란 말이야. 괜찮아 보이는 곳까지 풍뎅이를 들고 기어 나가 봐. 내려온 담에 상으로 은전 한 닢 줄 테니까."

"지금 가고 있어요. 윌 도련님, 이제 거의 끝까지 왔어요!"

주피터가 대답했다.

"끝까지 갔어?"

레그랜드는 몹시 기쁜 듯 쇳소리를 내며 외쳤다.

"나뭇가지 끝까지 갔단 말이지?"

"조금만 가면 끝이에요. 도련님, 오오! 이게 뭐죠? 가지 끝에 뭐가 있어요."
"그래! 그게 뭐지?"
레그랜드가 기쁨에 넘친 목소리로 외쳤다.
"다른 게 아니라 해골이에요. 누가 나무 위에다 머리통을 놓아 두었는데, 까마귀가 살은 다 파 먹었어요."
"해골이라고? 됐어! 나뭇가지에 어떻게 매달려 있지?"
"네, 도련님. 잘 볼게요. 이거 참 이상하네요. 해골 가운데에 커다란 못을 박아 매달았어요."
"주피터, 이제부터 내 말대로 해야 돼, 알았지?"
"네, 도련님."
"조심해서 해골 왼쪽 눈을 살펴봐!"
"나 원 참, 좋아요. 그런데 눈알이 안 보이는데요."
"이 바보야! 어느 게 왼손이고 어느 게 오른손이야?"
"그야 장작 패는 손이 왼손이지요."
"그렇지! 넌 왼손잡이니까. 그러면 말야, 네 왼손과 같은 쪽에 있는 것이 왼쪽 눈이야. 이제 해골의 왼쪽 눈이 어느 것인지 알겠지? 찾았나?"
한참 동안 대답이 없더니, 이윽고 주피터가 물었다.
"그러면 해골의 왼손과 같은 쪽에 있겠죠? 그런데 해골에 손이 없는데요? 아, 이제 알았어요. 음, 이게 왼쪽 눈이구먼. 이걸 어떡하란 말이에요?"
"풍뎅이를 그 속으로 넣어 가죽끈 끝까지 늘어뜨려 봐. 그리고 그 끝을 놓치지 않도록 조심해야 해."
"했어요, 도련님. 구멍으로 풍뎅이를 늘어뜨리는 것쯤이야 식은 죽

먹기예요. 자, 보세요. 이제 내려갔습니다!"

이런 얘기를 주고받는 동안 주피터의 모습은 전혀 보이지 않았다. 하지만 그가 내려보내는 가죽끈 끝에 매달린 풍뎅이는, 우리들이 서 있는 언덕을 아직 희미하게 비추고 있는 석양의 마지막 빛을 받아 잘 닦인 황금 덩이처럼 번쩍였다.

풍뎅이는 나뭇가지에도 걸리지 않고 축 늘어졌다. 그대로 떨어뜨렸다면 바로 우리들 발 밑으로 떨어졌을 것이다.

레그랜드는 즉시 낫을 들고 바로 그 풍뎅이 아래에 지름 3, 4미터의 원을 그리며 그 안의 풀들을 쳐 냈다. 그 일을 마친 다음 그는 주피터에게 가죽끈을 떨어뜨리고 곧 내려오라고 말했다.

레그랜드는 풍뎅이가 떨어진 바로 그 지점 위에다 말뚝을 박고, 주머니에서 줄자를 꺼내 그 끝을 말뚝에서 제일 가까운 나무 기둥에 매고 그것을 쭉 말뚝까지 끌고 왔다. 그리고는 또다시 나무와 말뚝을 두 지점으로 해서 이미 확정된 방향으로 15미터쯤 끌고 갔다.

"낫으로 가시덤불을 헤쳐 나가!"

레그랜드가 주피터에게 명령했다.

이렇게 해서 제2의 지점에 두 번째 말뚝이 박혔다. 그리고 이 말뚝을 중심으로 해서 그 주위에 지름 약 1미터 되는 원이 그려졌다.

레그랜드는 삽을 한 자루 들더니, 주피터와 나에게도 각각 한 자루씩 주면서 될 수 있는 대로 빨리 파라고 재촉했다.

나는 사실 이런 장난에 별로 흥미를 느끼지 못하고 있었기 때문에, 그의 부탁을 거절해 버리고 싶었다. 왜냐하면 날은 점점 어두워지고, 무척 피곤했기 때문이다. 그러나 거절했다가는 안 그래도 정상이 아닌 친구의 머리를 더욱 복잡하게 만들 것 같았다.

만일 주피터가 협조해 준다면 억지로라도 제정신이 아닌 이 친구를 집으로 끌고 갈 수는 있을 것이다. 하지만 나는 주피터를 잘 알고 있다. 그는 어떤 경우든 주인과 내가 대립되어 있을 때 결코 내 편이 되어 주지 않을 것을.

레그랜드가 땅 속에 묻힌 보물에 관한 무수한 미신에 홀린 것만은 확실했다. 그리고 그가 풍뎅이를 발견한 것과 또 어쩌면 주피터가 완고하게 이 풍뎅이를 '진짜 황금 풍뎅이' 라고 주장한 것으로 말미암아 그의 공상이 한층 더 굳어진 것만은 의심할 여지가 없었다. 광기가 있는 사람은 이러한 암시로 금세 충동을 느낄 것이다. 더욱이 오래 전부터 가지고 있던 생각과 일치할 때에는 한층 더 그럴 것이다.

'이 풍뎅이가 내 팔자를 고쳐 줄 걸세.'

순간, 나는 레그랜드가 했던 말을 떠올렸다.

그 동안 몸과 마음이 얼마나 힘들었으면 이런 생각을 하게 되었을까 하는 생각이 들면서 가슴이 아팠다. 그래서 하기 싫다는 생각을 꾹 누르고, 그를 도와주기로 결심했다. 그를 도와준 다음, 그의 생각이 잘못되었다는 것을 깨닫게 해 주면, 그는 원래의 상태로 돌아올 수 있으리라.

램프에 불을 켜고, 우리 세 사람은 구덩이를 파기 시작했다.

우리가 하는 짓이 재미있게 보였던지, 개가 짖어 대기 시작하였다. 레그랜드는 개가 짖는 소리에 근처를 지나가는 사람이 우리가 하는 짓을 보게 될까 봐 무척 걱정되는 모양이었다. 하지만 나는 어서 그런 일이 생겨 이 정신 나간 친구를 집으로 데리고 갈 수 있으면 하고 바랐다.

"이놈의 개가 꽤나 시끄럽게 하는군."

주피터가 구덩이 밖으로 튀어나가, 바지 멜빵을 풀어 개 주둥아리를 꽉 잡아매 버렸으므로 주위가 다시 잠잠해졌다. 주피터는 킥킥 웃으며 구덩이 속으로 다시 돌아왔다.

두 시간 정도 지나, 우리가 1.3미터 정도까지 파 내려갔으나 보물이 묻혀 있는 흔적 같은 건 전혀 보이지 않았다. 우리는 여기서 잠시 쉬었다.

난 이 어처구니없는 일이 어서 끝나기를 바랐다. 레그랜드는 무척 실망한 듯한 표정이었다. 그는 깊은 생각에 잠겨 이마의 땀을 닦더니 다시 파기 시작했다. 우리들은 지름 1미터의 원 둘레를 전부 팠는데도 좀처럼 보물은 나타나지 않았다. 그래서 그 범위를 조금 넓혀 2미터 가량 아래로 파 보았다. 하지만 역시 보물은 보이지 않았다.

마침내 레그랜드는 얼굴 가득 실망의 빛을 나타내며, 구덩이 밖으로 나가 일하기 전에 벗어 놓은 웃옷을 느릿느릿 입기 시작했다.

나는 레그랜드에게 진심으로 동정을 금할 수가 없었다. 나는 아무 말도 하지 않았다. 주피터는 연장을 주워 모으기 시작했다. 그 일이 끝나고 개 주둥아리를 풀어 준 후에 우리들은 묵묵히 집으로 향했다.

우리들이 얼마를 걸어왔을 때였다. 갑자기 레그랜드가 큰 소리로 욕설을 퍼부으면서 주피터 쪽으로 달려들어 그의 멱살을 잡았다. 깜짝 놀란 주피터는 눈과 입을 벌린 채 삽을 떨어뜨리며 땅바닥에 넘어졌다.

"그래, 이 망할 놈아!"

레그랜드가 주피터에게 욕설을 퍼붓기 시작했다.

"이 멍청한 놈! 얘기해 봐. 그래, 어느 게 왼쪽 눈이냐, 응?"

"아이고, 도련님. 살려 주세요! 이게 왼쪽 눈입니다요."

주피터는 오른쪽 눈에다 손을 대고, 금방이라도 주인이 눈을 빼 버리지나 않을까 하는 걱정으로 몸을 벌벌 떨며 말했다.

"내 그럴 줄 알았어. 어쩐지 이상하더라. 자, 이젠 됐다!"

레그랜드는 환호성을 지르며 껑충껑충 뛰었다.

주피터는 무슨 영문인지 몰라 주인의 얼굴과 내 얼굴을 번갈아 쳐다

볼 뿐이었다.

"자, 그럼 다시 돌아가자! 아직 포기하기에는 일러."

레그랜드는 앞장서서 백합나무로 되돌아갔다.

"주피터, 이리 와."

백합나무에 도착하자 레그랜드가 주피터를 불렀다.

"그 해골이 얼굴을 바깥쪽으로 하고 못에 박혀 있었나, 아니면 가지 안쪽으로 박혀 있었나?"

"얼굴은 바깥쪽을 향해 있었어요. 그래서 까마귀가 거침없이 눈알을 파먹을 수 있었지요."

"음, 그래. 그러면 네가 풍뎅이를 떨어뜨린 것은 어떤 눈이야?"

레그랜드가 손으로 주피터의 두 눈을 번갈아 짚으며 물었다.

"이쪽 눈이에요, 도련님. 이쪽이 왼쪽이잖아요."

주피터가 가리킨 것은 오른쪽 눈이었다.

"그럼 됐어. 다시 한 번 해 봐야겠다."

나는 이 정신 나간 친구의 제안에 기가 막힐 뿐이었다.

레그랜드는 풍뎅이가 떨어진 곳에 박혔던 말뚝을 뽑아 거기서부터 9센티미터 서쪽으로 옮겨 박고, 아까와 같이 백합나무 기둥에서 제일 가까운 나무로부터 말뚝까지 줄자를 끌어다가 다시 그것을 일직선으로 15미터 지점까지 연장시킨 다음 그 곳에 표적을 만들었다. 그 곳은 조금 전에 우리들이 파던 곳과 몇 미터쯤 떨어진 곳이었다.

이 새로운 지점 주위에 아까보다 좀더 큰 원을 그리고, 우리들은 또 다시 파기 시작했다.

나는 무척 피곤했지만, 무슨 조화인지 이제 이 일이 그다지 싫지 않게 느껴졌다. 아니, 무언지 모를 흥분과 호기심마저 생겼다. 내 친구를 미치게 한 보물이 정말 나오지나 않을까 하고, 열심히 파고 있는 나 자신을 깨닫고는 스스로 놀랄 지경이었다.

한 시간 반이나 계속해서 파는 동안 내 머릿속에서 그러한 터무니없는 망상이 빙빙 돌고 있을 때, 또다시 개가 맹렬한 기세로 짖어 댔으므로 우리의 일은 잠시 중단되었다. 먼젓번에 짖은 건 그저 괜히 신이 난 척 그런 것인데, 이번에는 무언가 그럴 만한 까닭이 있어 짖어 대는 것 같았다.

주피터가 또다시 주둥아리를 막아 버리려고 했으나, 개는 맹렬히 반항하며 구덩이 속으로 뛰어 들어와 발톱으로 미친 듯이 흙을 파헤치기 시작했다. 그러자 곧 두 사람의 완전한 해골이 무더기로 나타났다. 그 밖에 몇 개의 금속 단추와 썩은 양털 부스러기 같은 것도 섞여 나왔다.

삽으로 그 위를 몇 번 긁적여 보았더니 커다란 에스파냐제 주머니칼이 나타났다. 그 후 좀 더 파 보았더니 이곳 저곳에서 금화, 은화가 몇 개 나왔다.

이것을 보고 주피터는 기쁨을 감추지 못하였다. 하지만 레그랜드의 얼굴에는 극도로 실망의 빛이 나타났다.

"어서 계속해서 파게."

그는 우리에게 재촉했다.

레그랜드의 입에서 이 말이 떨어지기가 무섭게 나는, 연한 흙 속에 절반쯤 묻힌 굵은 쇠굴레에 발 끝이 걸려 비틀거리며 앞으로 넘어졌다.

이제는 모두 열심이었다. 나는 내 평생에 이토록 흥분된 10분간을 경험한 적이 없다. 이윽고 우리는 직사각형의 궤짝 하나를 파냈다.

궤짝은 길이 1.5미터, 너비 1미터, 깊이 1미터 정도의 것이었다. 커다란 쇠고리가 뚜껑 가까운 양쪽에 세 개씩 있어서 여섯 사람이 들 수 있도록 되어 있었다.

우리 셋이서 힘껏 들어 보았지만, 밑바닥만 약간 움직였을 뿐이었다.

우리는 모두 가슴을 죄며 부들부들 떨리는 손으로 빗장을 쑥 잡아 뺐다.

순간, 셀 수도 없을 만큼 수많은 보물이 번쩍거리며 우리 눈앞에 나타났다. 등불의 광선이 구덩이 속으로 쏟아지자 아무렇게나 틀어박혀 있는 황금과 보석의 찬란한 광채로 말미암아 우리는 눈도 제대로 뜨지 못할 지경이었다.

당시 내가 느꼈던 감정은 굳이 쓰지 않겠다.

레그랜드는 어찌나 흥분했던지 한 마디도 못했다. 주피터의 얼굴은 잠시 동안 죽은 사람처럼 새파랗게 질려, 벼락이라도 맞아 정신을 잃은 것처럼 보였다.

주피터는 잠시 후 무릎을 꿇고 팔꿈치까지 보물 속에 파묻으며, 마치 훈훈한 물 속에 기분 좋게 두 팔을 담그고 있는 것처럼 잠깐 동안 그대로 있었다. 그러다가 한숨을 깊이 내쉬며 혼잣말로 중얼거렸다.

"아이고, 그놈의 황금 풍뎅이가 이런 복을 가지고 오다니! 그것도 모르고 나는 그 예쁜 풍뎅이에게 욕만 했군!"

나는 레그랜드와 주피터를 재촉하여 빨리 보물을 운반해야 했다. 밤이 꽤 깊어가고 있었으므로 날이 새기 전에 이 보물을 모두 집으로 운반하려면 급히 서둘러야 했다.

하지만 무엇부터 손을 대야 할지 알 수가 없었다. 그래서 방법을 의논하는 데 많은 시간이 걸렸다. 그만큼 우리들의 머리는 혼란스러웠다.

결국 우리는 보물의 3분의 2 가량을 꺼내서 궤짝을 가볍게 한 다음 겨우 구덩이 밖으로 끄집어 냈다. 이리하여 끄집어 낸 보물은 가시덤불 속에다 감춰 놓고, 주피터에게 개와 함께 그 곳을 지키고 있을 것과 우리들이 돌아올 때까지 어떤 일이 있어도 그 곳을 떠나지 말 것이며, 또 개가 짖지 못하도록 할 것을 명령했다.

우리는 급히 궤짝을 가지고 집으로 돌아왔다. 무사히 집으로 돌아오긴 했지만 시간이 벌써 새벽 1시였고, 너무도 피곤했으므로 금방 다시 출발한다는 것은 도저히 무리였다.

그래서 2시까지 집에서 쉬며 식사를 한 다음, 튼튼한 주머니 세 개를 찾아 들고 다시 산으로 향했다.

4시 조금 전에 그 곳에 도착해 보물을 3등분 하고 구덩이를 채 메우지도 않은 채 집으로 향했다. 집에 돌아와 보물을 내려놓았을 때에는 동쪽 하늘이 훤해지며 먼동이 트기 시작했다.

우리는 완전히 녹초가 되었지만 너무도 흥분해서 잠을 이룰 수가 없었다. 그럭저럭 불안한 가운데 너덧 시간쯤 눈을 붙인 다음, 다들 약속이나 한 듯이 벌떡 일어나 보물을 조사하기 시작했다.

보물은 궤짝 가장자리까지 가득 차 있었으므로 그것을 조사하는 데는 그 날 하루 종일하고도 다음 날 밤이 깊을 때까지 계속되었다.

보물은 질서도 배열도 없이 뒤죽박죽인 채로 쌓여 있었다. 차근차근 종류별로 분류해 보니 처음에 예상했던 것보다 그 수가 훨씬 많은 것에 놀랐다.

당시의 시세에 따라 평가해 보았더니 현금만 45만 달러가 훨씬 넘는 것이었다. 은화는 한 닢도 없고 전부가 고대의 여러 가지 금화뿐이었다.

프랑스, 에스파냐, 독일의 금화, 영국의 기니 금화가 약간, 그리고 한 번도 보지 못했던 몇 종류의 화폐가 섞여 있었다. 몹시 닳아빠져 인각조차 뚜렷하지 않은 크고 무거운 화폐도 있었다. 하지만 미국 화폐는 하나도 없었다.

보석을 평가하기는 더욱 어려웠다. 110개나 되는 다이아몬드 중 몇 개는 아주 크고 훌륭했으며, 작은 건 하나도 없었다. 번쩍이는 루비가 18개, 모두 하나같이 아름다운 에메랄드가 310개, 사파이어가 21개, 오팔이 1개 있었다.

이 보석들도 모두 궤짝 속에 뒤죽박죽 뒤섞여 있었다. 이 밖에도 순금으로 만들어진 200여 개나 되는 반지와 귀고리, 30개 가량의 훌륭한 금줄, 83개나 되는 굉장히 큰 십자가, 5개의 화려한 황금 향로, 화려한 모양의 포도 잎사귀와 신들을 그린 커다란 술잔, 정교하게 새겨져 있는 칼집, 그 밖에 이제는 다 잊어버려 생각도 나지 않는 자잘한 물건이 무수히 많았다.

이러한 보물의 무게는 150킬로그램이 넘었다. 그러나 나는 이 계산 안에 197개의 굉장한 시계는 넣지 않았다. 그 중 3개는 한 개 값만 해도 5백 달러 값어치는 충분했다. 하지만 대부분 너무도 오래된 것이라 별로 쓸모가 없었다. 세공도 다소 부식 작용을 일으키고 있었다. 그러나 모두 보석이 박혀 있고 값비싼 상자 속에 들어 있었다.

그날 밤 궤짝 전체의 보물을 평가해 보니 150만 달러 이상의 것이었다. 그러나 그 후, 몇 개는 집에서 쓰려고 남겨 두고 판 결과, 우리들이 과소평가했다는 사실을 알았다.

그럭저럭 조사가 끝나고 격렬한 흥분도 좀 가라앉았을 때, 레그랜드는 나에게 이 기이한 수수께끼에 관한 모든 것을 얘기해 주었다.

"자네 생각나나? 내가 자네에게 그 풍뎅이의 그림을 그려 주던 날 밤 말일세. 그 때 자네가 그 그림을 보고 해골 같다고 해서 내가 화를 내지 않았나? 맨 처음 자네가 그런 말을 하는 것을 듣고 난 농담으로만 알았네. 잔등이에 검은 점이 있으니까 그럴지도 모르지 하고 생각했단 말일세. 그런데 자네가 내가 그림에 서툴다고 하니까 화가 벌컥 치밀더군. 나는 그림을 꽤 잘 그리는 편이라고 스스로 생각하고 있었는데 말이야. 그래서 그 양피지 조각을 구겨서 불 속에 던지려고 했었지."

"그 종이 쪽지 말인가?"

"아냐, 겉은 꼭 종이 같아서 처음에는 나도 종이인 줄 알고 그 위에다 그림을 그리려고 했었지. 그 때 퍽 얇은 양피지라는 걸 알게 된 거야. 무척 더럽지 않던가? 그걸 구겨 버리려고 한 순간, 내 눈에 자네가 보고 있던 그 그림이 들어왔네. 나는 분명 풍뎅이를 그렸는데, 풍뎅이는 간데 없고 대신 해골이 있는 것을 발견했을 때 그 놀라움이란 이루 말할 수가 없었네. 나는 너무 놀라 잠시 동안 아무것도 생각할 수 없었네. 전체 윤곽에서 비슷한 점은 있었지만, 자세한 부분에서는 전혀 달랐지. 나는 곧 촛불을 들고 좀더 자세히 양피지를 조사해 보았네. 뒤집어 보니까 내가 그린 그림이 그대로 있지 않겠나? 나는 내가 그린 풍뎅이의 뒷면에 바로 내 눈에 띄지 않던 해골의 그림이 있고, 더욱이 윤곽이라든가 면적까지 내가 그린 그림과 너무나 비슷하다는 우연의 일치에 깜짝 놀랐네. 나는 정신을 차릴 수가 없었지."
나는 그의 얘기에 점점 빠져 들어갔다.
"이런 경우에는 누구든 인과관계를 확인하고 싶어질 걸세. 그러나 그것이 잘 안 될 경우에는 일시적인 마비 상태에 빠지게 되지. 내가 다시 정신을 차렸을 때는, 우연의 일치보다도 한층 더 나를 놀라게 한 어떤 확신이 머리에 떠올랐네. 내가 풍뎅이를 그릴 때에 양피지 원면에는 아무 그림도 없었던 것이 분명히 생각나기 시작했네. 이건 틀림없어. 그 까닭은 어느 쪽이 깨끗한가 하고 양쪽을 다 뒤집어 보았으니까. 그 때 만일 해골이 있었다면 내 눈에 띄지 않았겠나? 바로 이 점이 불가사의하게 느껴졌네. 그러나 이 때 벌써 내 머릿속에서는 어젯밤의 탐험과 같은 훌륭한 결과를 가져올 씨앗이 희미하게 싹튼 것이 확실하네. 자네가 돌아가고 주피터마저 곯아떨어졌을 때 나는 이 사건을 좀더 질서 있게 연구해 보았네. 우선 양피지가 내 손에 들어오게 된 경로부터 생각해 보았지. 우리가 그 풍뎅이를 발견한 것은 이 섬으로부터 약 1킬로미터 동쪽에 있는 본토의 해안인데, 만조표가 있는 조금 위 지점이었네. 내가 그놈을 붙잡으려고 하자 꽉 깨물기에 그만 놓아 버렸네. 평소에 조심성이 많은 주피터는 자기한테로 날아온 그놈을 붙잡기 전에 나뭇잎이나 혹은 그런 종류의 것으로 싸서 붙잡을 생각으로 주위를 둘러보았네. 그의 눈과 내 눈이 동시에 양피지 조각 위로 떨어진 건 바로 그 순간이었네. 난 그 때 그것을 꼭 종이로만 알았단 말야. 그것은 한 모퉁이만 조금 나와 있고 반은 모래 속에 묻혀 있었네. 그걸 발견한 근처에는 대형 범선용의 보트 모양인 선체의 파편이 있었네. 그것은 아주 오랫동안 그 곳에 있었던 것처럼 보였네."
레그랜드는 열띤 목소리로 이야기를 계속했다.

"돌아오는데 도중에 코윈 중위를 만났네. 내가 중위에게 황금 풍뎅이를 보여 주었더니 요새로 가지고 가서 잘 조사해 보고 싶으니 빌려달라는 거야. 내가 그러라고 했더니 양피지에 싸지도 않고 조끼 주머니에 집어넣더군. 그 양피지는 그가 풍뎅이를 이리저리 보고 있는 동안 내 손 안에 그대로 있었지. 그리고 잠시 후에 나는 무의식적으로 그것을 주머니 속에 넣게 된 거지."

"그랬었군."

"그리고 자네와 함께 있을 때, 내가 그림을 그리려고 책상으로 갔는데 늘 놓여 있던 곳에 종이가 하나도 없었어. 헌 종이라도 있나 하고 주머니 속을 뒤져보았는데, 손에 집힌 것이 바로 그 양피지였단 말일세."

나는 다음 이야기가 무척 궁금하여 귀를 한층 더 기울였다.

레그랜드는 계속해서 이야기를 했다.

"아마도 자네는 나를 공상적 인물이라고 생각할 것일세. 그러나 그때 나는 벌써 일종의 연관을 지어 놓았어. 해안에는 보트가 놓여 있고, 거기서 멀지 않은 곳에 양피지가 있었고, 그리고 그 종이 위에 해골이 그려져 있었어."

"그게 도대체 어떤 연관이 있단 말인가?"

"해골은 누구나 알고 있는 해적의 표시네. 해골 깃발은 해적이 노략질을 할 때 매다는 것이지. 또한 양피지는 잘 찢어지지 않아. 따라서 양피지에는 중요한 것이 기록되게 마련이지. 이런 점에 비추어 해골이 어느 정도의 관계가 있다는 생각을 하게 되었네. 그리고 나는 양피지의 생김새에 대해서도 주의를 게을리하지 않았네. 한쪽 구석이 떨어져 나가 있었지만, 잊어버리지 않기 위해 오랫동안 보존해 두어야 할 사실을 기록하는 비망록으로서는 선택될 만한 것이었네."

"그런데 자네가 풍뎅이를 그릴 때에는 양피지 위에 해골이 없었다고 하지 않았나? 그리고 자네는 보트와 해골 사이에 어떻게 연관을 짓게 되었나? 그 해골은 자네가 황금 풍뎅이를 그린 후에 나타난 것일 텐데 말일세."
"모든 비밀이 엉켜 있던 것은 바로 그 점일세. 내가 황금 풍뎅이를 그릴 때에는 확실히 양피지에 해골 따위는 없었네. 물론 자네가 그린 것도 아니지. 그런데 어떻게 해서 해골 그림이 그려져 있었을까?"
"글쎄 말이야."
"그래서 나는 그 때까지 일어났던 일들을 하나하나 기억해 보았지. 그 결과 다음과 같은 사실을 깨달았네. 자네도 기억하겠지만 그 날은 날씨가 무척 추웠어. 물론 그게 행운을 가져다 주었지만 말일세. 그래서 난롯불이 훨훨 타고 있지 않았나. 나는 막 외출에서 돌아왔기 때문에 몸이 더워서 책상 옆에 앉아 있었네. 하지만 자네는 난로 옆에 바짝 다가앉아 있었지? 내가 양피지를 자네에게 건네주자마자, 우리 개가 뛰어들어와 자네에게 달려들었네. 그 때 자네는 왼손으로 개를 쓰다듬어 주면서, 오른손은 양피지를 쥔 채 아무렇게나 무릎 사이로 내려뜨리고 불 근처에까지 가 있었지. 나는 그것에 불이 붙지나 않을까 걱정이 되어 자네에게 주의를 주려던 참에 자네가 그것을 집어들고 보기 시작했네. 그 때의 상황을 종합해 본 결과, 양피지 위에 해골이 나타난 원인은 불기운 외에는 아무것도 없다는 결론을 얻게 되었지. 열을 받아야만 종이의 글자가 보이도록 하는 화학적 방법이 오랜 옛날부터 있었던 건 자네도 잘 알고 있을 걸세."
"그건 그렇다 치고 해골 그림을 보고 어떻게 보물과 연관을 짓게 되었나?"
"나는 조심스레 해골 그림을 조사해 보았네. 바깥쪽 끝, 즉 양피지 가장자리에서 제일 가까운 그림의 구석구석은 다른 어느 곳보다 뚜렷했어. 이것은 열의 작용이 불완전하거나 고르지 않았다는 것을 증명하지. 나는 곧 촛불을 켜서 양피지의 모든 부분에 고르게 갖다 대 보았네. 처음에는 해골의 희미한 선이 또렷해졌을 뿐인데, 계속 대고 있었더니 종이 왼쪽 구석, 즉 해골이 그려져 있는 곳에서부터 대각선 쪽에 새끼염소 같은 게 나타났네."

"하하하……. 그것 참 재미있군."

나는 레그랜드의 말을 중단시키며 웃음을 터뜨렸다.

"하긴, 자네를 비웃어서는 안 되겠지. 150만 달러라는 돈은 비웃고 넘기기에는 너무 큰 돈이니까. 그러나 해적과 염소 사이에는 아무런 관계가 없질 않나? 염소야 농촌에 있는 것이지."

"나는 염소라고 한 적이 없네."

"아까 새끼염소라고 하지 않았나? 어쨌든 같은 얘기 아닌가?"

"이 경우 그냥 염소와 새끼염소는 다른 의미를 지니게 되지. 자네도 키드(새끼염소) 선장의 얘기를 들은 적이 있지? 나는 이 동물의 그림이 어떤 암시처럼 느껴졌네. 일종의 사인 같다고나 할까?"

"어떻게 해서 그런 생각을 갖게 되었지?"

"솔직히 얘기하자면, 이건 내 예감이었는데, 어쩐지 큰 복덩이가 굴러들어온 것만 같았어. 그 이유를 정확히 얘기할 수는 없지만 모든 정황으로 미루어 보아 그럴 거라는 확신이 섰어. 아니, 어쩌면 나의 바람이었는지도 모르지. 그 때 풍뎅이를 순금이라고 말하는 주피터의 못난 소리가 내게 얼마나 큰 영향을 주었는지 자네는 모를 걸세. 그리고 그 뒤에 계속적으로 나타난 사건과 우연의 일치는 내게 어떤 확신을 주었네. 자네도 생각해 보게. 왜 이런 일이 일 년 365일 중에 꼭 그 날 일어났으며, 왜 하필 불을 피울 만큼 추웠느냔 말일세. 만일

불도 없고 개도 뛰어들어오지 않았더라면 나도 해골을 몰라봤을 것이고, 그 결과 그런 보물을 상상이나 했겠나? 이것 모두가 우연의 일치라고 하기에는 너무나 신기하게 느껴졌어."

"그런 소린 그만두고, 어서 해골 그림과 보물의 연관성이나 얘기하게. 답답해 미치겠네."

"자네도 해적 키드와 그 부하들이 대서양 연안 어디에다 금을 파묻어 두었다는 소문쯤은 들어서 알고 있겠지? 사실 이런 얘기는 전혀 근거 없는 얘기는 아니었을 걸세. 또 그 소문이 지금까지 없어지지 않고 계속되고 있다는 건 묻혀 있는 보물이 그대로 있기 때문이 아니겠나? 만약 키드가 그 약탈품을 일시적으로 감춰 두었다가 나중에 파냈다면, 지금 우리가 듣고 있는 소문과는 달라졌을 걸세. 자네도 알다시피 떠도는 소문에는 모두가 보물을 찾고 있는 사람들 얘기뿐이지, 어디 보물을 찾았다는 사람의 얘기가 있던가? 만일 해적이 보물을 파냈다면 이 소문은 사라졌을 것일세."

나는 레그랜드의 얘기에 점점 흥미를 느끼게 되었다.

"그래서 나는 이런 상상을 하기에 이르렀지. 어느 날, 키드에게서 보물이 숨겨진 곳을 표시해 둔 기록이 없어져 버렸다. 그래서 키드는 보물을 찾아낼 방법을 잃어버리고, 이 사실은 부하들 사이에도 알려졌다. 그래서 부하들에 의해 소문이 퍼졌다."

"음, 그럴 수도 있겠군."

나는 고개를 끄덕였다.

"그런데 자네는 해안에서 보물을 파냈다는 소문을 들은 적 있나?"

레그랜드가 내게 물었다.

"아니, 전혀 없어."

"키드의 보물이 막대하다는 것은 세상이 모두 아는 사실일세. 그리고 나는 그것이 여태 땅 속에 묻혀 있을 것으로 확신했네. 그리고 우연히 손에 들어온 양피지야말로 보물의 행방이 기록되어 있으리라고 하는, 확신에 가까운 희망을 갖게 되었지."

"그건 그렇고, 그 다음에 어떻게 되었나?"

"불기운을 세게 한 후 양피지를 쬐어 보았지만 아무것도 나타나지 않았어. 그래서 나는 혹시 때가 묻어 있어서 그럴지도 모른다는 생각을 했어. 잠시 후, 양피지 위에 더운물을 부으며 조심조심 씻어서 냄비 속에 넣고 그것을 숯불 위에다 올려놓았네. 그리고 3, 4분이 지나 냄비가 후끈 달았을 때 양피지를 꺼내 보니까, 아 글쎄, 몇 줄의 숫자 같은 것이 여기저기 나타나 있지 않겠나? 그래서 또 냄비 속에다 넣고 1분 동안 그대로 두었네. 그래서 꺼내 보니까, 전체가 마치 사진처럼……."

"아, 그랬었군."

"자네도 한번 보겠나?"

레그랜드는 양피지를 더운물에 담갔다가 꺼내어 나에게 보여 주었다. 양피지 위에는 다음과 같은 글자가 해골과 염소 사이에 붉은빛으로 희미하게 보였다.

53‡ ‡ †305)) 6* ; 4826)4‡.)4‡) ; 806* ; 48†8 ¶ 60))
85 ; 1‡(; : ‡*8†83(88) 5* † ; 46 (; 88*96*? ; 8)*
(; 485) ; 5* †2:* ‡ (; 4956*2 (5*—4) 8 ¶ 8*; 4069285)
;) 6†8) 4‡ ‡ ; 1(‡9 ; 48081 ; 8 : 8 ‡1 ; 48†85 ; 4)
485†528806*81(‡9 ; 48 ; (88 ; 4(‡ ? 34 ; 48)4‡ ;
161 ; : 188 ; ‡ ? ;

"나는 뭐가 뭔지 하나도 모르겠군. 이 수수께끼를 풀면 골콘다(인도의 보석 산지)의 보석을 몽땅 준다 해도 나로서는 도저히 풀 수가 없겠는데 그래."

"아냐, 그렇게 어렵지 않다네. 자네도 눈치챘겠지만 이 글자들은 모두 암호라네. 그리고 키드에 대해 세상에 알려져 있는 사실처럼, 그는 어려운 암호를 만들어 낼 위인은 못 돼지. 그래서 나는 간단한 암호문일 거라는 자신감을 갖게 되었네. 물론 뱃사람들의 둔한 머리로는 쉽게 풀 수 없는 것이었겠지만 말일세."

"그래, 자네는 금방 풀었나?"

"물론이지. 나는 예전에 이것보다 훨씬 어려운 것도 푼 적이 있다네. 나는 늘 이러한 수수께끼에 흥미를 가지고 있지. 더욱이 인간의 머리에서 나온 수수께끼라면, 같은 인간의 두뇌로 풀리지 않는 것은 없다

고 생각하네. 연관이 있는 숫자 하나만 찾아 내면, 그 다음은 식은 죽 먹기지."

"그래, 어떤 식으로 암호를 풀어 나갔나?"

나는 궁금해서 견딜 수가 없었다.

"문자의 단어가, 이건 흔히 있는 일이지만, 예를 들어 a라든가 1자가 나오면, 벌써 해석은 풀린 것이나 마찬가지야. 또한 이 암호에는 구절이 없으므로 내 최초의 착안점은 제일 많이 나온 글자와 제일 적게 나온 글자를 찾는 것이었네. 모든 글자를 세어서 다음과 같은 표를 만들었네.

8 —— 33개
; —— 26개

4 —— 19개

‡) —— 16개

* —— 13개

5 —— 12개

6 —— 11개

†1 —— 8개

0 —— 6개

92 —— 5개

:3 —— 4개

? —— 3개

¶ —— 2개

— —— 1개

그런데 자네도 알겠지만 영어에서 가장 자주 나오는 알파벳은 e야. 그 다음에는 a o i d h n r s t u y c f g l m w b k p q x z의 순서로 나오네. e는 대단히 많이 쓰이기 때문에 아무리 짧은 글이라도 볼 수가 있지. 이렇게 해서 나는 손도 대기 전에 벌써 추측 이상의 확신을 얻었네. 가장 많이 나온 것은 8이니까 우선 이것을 본래의 알파벳의 e에 해당한다고 가정하고 착수했네. 이 가정을 확실하게 하기 위하여 8이 중복되어 나타나는 것을 조사해 보았네. 왜냐하면 영어에서는 e가 자주 두 개 연속해서 나오거든. 예를 들면 meet, fleet, speed, seen, been, agree와 같이 말일세. 그런데 여기서는 암호가 짧은데도 불구하고 그것이 다섯 번 이상이나 중복되고 있단 말일세."

"이렇게 되면 암호의 8이 알파벳 e에 해당하는 건 확실한 것 같군."

"그렇지. 또한 영어의 모든 단어 중에서 제일 평범한 것은 the야. 그러므로 8로 끝난 똑같은 순서로 배열되어 있는 세 글자가 반복되는지 어떤지를 살펴보았지. 만일 그런 글자가 반복만 된다면 the를 표시한다고 봐도 좋을 테니까. 조사해 보니까 그렇게 배열된 것이 일곱 개 있고 그 기호는 ;48이더군. 그래서 ;는 t를, 4는 h를, 8은 e를 표시하고 있으므로, 그 끝에 있는 e는 확정되었다고 봐도 상관없었어. 이렇게 해서 일대 비약을 하게 된 셈이지."

"음……."

나는 래그렌드와 함께 암호 해석을 해 나가는 것이 무척 재미있었다. 레그랜드는 계속해서 암호문을 설명해 나갔다.

"그런데 하나의 단어가 결정되면 그것으로 인해 다른 중요한 것을 발견할 수가 있지. 즉, 다른 단어의 시작과 끝을 나타내는 글자를 알 수 있지. 예를 들면 ;48의 결합 중에서 끝에서 두 번째에 있는 암호 끝으로부터 그리 멀지 않은 곳에 있는 ;는 어떤 단어의 시작 글자라는 것을 알 수 있었네. 이렇게 해서 그 다음에 계속되는 여섯 가지 부호 중에서 다섯 개는 알게 된 셈이지. 그럼 아직 모르는 것을 공간으로 두고 알 수 있는 부호를 알파벳으로 고쳐 보세.

t eeth

이 때 th는 t로 시작되는 단어의 한 부분이 되는 법은 없으니까 th를 제쳐 놓아도 상관없을 걸세. 이 공간에 넣을 글자로 알파벳 전부를 뒤져 보아도, 이 th가 단어의 한 부분으로 될 만한 단어는 도저히 만들 수가 없네. 그래서 이렇게 범위를 좁혀, t ee로 줄일 수가 있네. 그런 다음 만약 필요하다면 아까처럼 알파벳을 일일이 맞추어 본 결과 tree라는 단어에 도달할 수 있었네. 이렇게 해서 r이라는 또 하나의 알파벳을 알게 되어 the tree라는 단어가 연속되는 거야. 이 두 단어의 조금 뒤를 따라가 보면 ;48로 이루어진 것이 나타나네. 나는 이것을 전에 있는 단어의 어미에 붙은 단어로 생각하고 사용해 보았네. 그러면 이런 배열이 되네.

the tree;4 (‡ ? 34 the

또는 거기에 이미 아는 알파벳을 집어넣으면 다음과 같이 되지.

the tree thr ‡ ? 3h the

자, 다음에는 아직 모르는 글자를 공백으로 두거나 혹은 점을 찍어 두면 이렇게 되지.

the tree thr…h the

그러면 through라는 단어가 대번에 떠오르게 되네. 그리고 이것을 알게 되자, 다시 새로 ‡, ?, 3으로 표시된 o, u, g의 세 알파벳을 알 수 있었지. 이번에는 암호를 쭉 훑어보면서 이미 알고 있는 글자의 결합을 살펴보면, 암호문 첫머리에서 그리 멀지 않은 곳에 이런 배열이 나타나네.

83 (88 즉, egree

이것은 틀림없이 degree라는 단어의 앞글자를 빼 버린 것으로, 이것으로 또 하나가 d를 표시한다는 걸 알 수 있네. 이 degree부터 네 글자 다음에 이런 결합이 눈에 띄네.

;46(;88*

알고 있는 기호는 번역하고 먼젓번처럼 모르는 것은 점으로 나타내면 이렇게 되네.

th. rtee.

이 배열에서는 당장 thirteen이라는 단어가 생각나고, 또 새로 6과 *로 표시된 i와 n의 두 글자를 알 수 있네. 이번에는 암호의 제일 처음을 보면 다음과 같이 맞추어져 있네.

53 ‡ ‡ †

아까의 요령으로 번역해 보면 이렇게 되네.

.good

이것으로 최초의 글자가 a고 최초의 두 단어가 a good이라는 것이 확실해졌어. 여기서 혼란스럽지 않도록 지금까지 판명된 것만을 정리해 보면 다음과 같네.

5는 a
†은 d
8은 e
3은 g
4는 h
6은 i
*은 n
‡은 o
(는 r
;은 t
?는 u

이렇게 해서 나는 가장 중요한 글자를 11개 발견했네. 이렇게 되면 자네에게 상세한 해독법은 꼬치꼬치 얘기하지 않아도 되겠지? 이제 암호의 해석 내용을 자네에게 알리기만 하면 되네. 자, 다음과 같으니 보게."

사제의 저택, 도깨비 의자에 자리를 잡고, 좋은 안경으로 41도 13분 북동미북 중심가지 동쪽의 일곱 번째 가지를 찾으라.

해골의 왼쪽 눈알에서 쏜 나무로부터, 꿀벌의 길을 동쪽으로 15 미터 걸으라. 그 곳에 황금의 무덤이 있도다.

“나는 아직도 이 수수께끼에 대해 알 수 없는걸. ‘도깨비 의자’ 라든가 ‘사제의 저택’ 이런 잠꼬대 같은 소리에 무슨 의미가 있단 말인가?”
내가 레그랜드에게 물었다.
“그렇지. 겉으로 봐서는 아직 이해하기 어려울 걸세. 나도 처음 며칠 동안은 뭐가 뭔지 아주 캄캄했네. 그래서 무턱대고 돌아다녔지. 먼저, 설리번 섬 부근에 ‘사제의 저택’ 이라는 집이 있나 하고 찾아다녔네. 그러던 어느 날 문득, 섬에서 북쪽으로 6킬로미터 떨어진 곳에, 몹시 낡은 저택을 가지고 있는 베소프 집안과 무슨 관계가 있지 않을까 하고 생각했네. 그래서 그 저택을 찾아가 나이든 흑인들에게 여러 가지를 물어 보았네. 겨우 한 노파로부터, 베소프 성은 성도 여관도 아닌 한 개의 높은 바위라는 사실을 알게 되었네. 그 노파는 그 곳이 어딘지 알고 있다고 하더군.”
“그래, 노파가 안내를 해 주던가?”
“안내해 주면 후한 사례를 하겠다고 하자, 잠깐 머뭇거리더니 앞장을 서더군. 별로 고생할 것도 없이 그 곳을 찾은 다음, 노파를 보내고 나 혼자 조사해 보았네. ‘성’ 이라는 것은 절벽과 바위가 아무렇게나 모여서 이루어진 것이었네. 나는 툭 불거져 높이 서 있는 바위 꼭대기에 올라가 주변을 살펴보았네.”
“그래, 무엇이 보이던가?”
“아니, 특별한 건 없었어. 그래서 어찌해야 좋을지 망설였지. 이리저리 궁리하던 끝에, 문득 내가 서 있는 지점으로부터 1미터쯤 떨어진 곳에 불쑥 튀어나온 선반 같은 바위가 눈에 띄었네. 이 바위 선반은 50센티미터 가량 튀어나왔고, 너비는 겨우 30미터에 지나지 않았지만, 그 모양이 마치 우리 선조가 사용했던, 등판이 움푹 들어간 의자와 비슷했네."

"그것이 암호에 나와 있던 '도깨비 의자' 였나?"

"그렇지. 그 때 나는 암호를 전부 푼 것만 같은 기분이 들었네. '좋은 안경' 이라 함은 망원경이 틀림없다고 생각했네. '안경' 은 뱃사람들 사이에서는 별로 사용되지 않을 테니까 말일세. 나는 급히 집으로 돌아와 망원경을 들고 또다시 바위로 올라갔네."

여기까지 말한 레그랜드는 숨이 차는 듯 잠시 말을 멈추었다.

"그래서?"

나는 궁금하여 레그랜드를 재촉했다.

"그런데 바위 선반에서는 일정한 자세를 취하지 않고서는 도저히 앉을 수 없다는 사실을 알아차렸네. 그리고 '41도 13분' 이라는 것은 수평선의 방향이 '북동미북' 이란 말로 똑똑히 표시되어 있으니까 수평선상의 고도를 표시하는 말임에 틀림없을 걸세. 이 수평선의 방향은 회중용 자석으로 곧 알 수 있었네. 그래서 대강 추측하여 망원경을 41도 정도에 맞추어 조심스럽게 올렸다 내렸다 했더니, 저쪽 하늘 높이 우거진 나무 사이로 솟아나온 한 그루의 큰 나뭇가지 사이에 둥근 틈, 즉 공간이 눈에 띄었네. 이 틈 한복판에 흰 점이 있는 걸 발견했는데, 처음에는 그것이 무엇인지 알 수 없었네. 잠시 후, 망원경의 초점을 조절하면서 들여다보았더니 그것은 바로 사람의 해골이었네."

"아!"

나는 짧게 감탄의 소리를 질렀다.

"이 발견으로 말미암아 나는 수수께끼가 풀린 것으로 확신하였네. 왜냐하면 '일곱 번째 가지' 란 나무 위의 해골의 위치를 가리키는 말이고, 또 '해골의 왼쪽 눈알에서' 라는 말은 묻힌 보물을 찾는 데 대한 하나의 해답일 테니까."

"그러면 '꿀벌의 길' 이란 무슨 뜻이었나?"

"꿀벌은 일직선으로 날아가는 버릇이 있지. 그래서 그것은 바로 나뭇가지 밑의 지점을 표시하는 것이라고 생각했네. 이제 거기까지 똑바로 15미터만 걸으면 문제는 해결되는 거였지."

"자네 생각은 하나같이 명쾌한 것일세그려. 그래서 자네는 그 '사제의 저택' 을 떠난 다음에 어떻게 했나?"

"그 나무를 잘 기억해 두고 집으로 돌아왔지. 그런데 말이야, 내가 '도깨비 의자' 를 떠나자마자 그 둥근 틈이 없어지는 게 아니겠나. 몇 번 되풀이해서 보았지만 마찬가지였어. 내가 이 계획 전체에서 가장 교묘하다고 생각되는 건 바로 이 점일세. 즉, 나뭇가지 사이의 틈이 좁은 바위 선반 외의 어떤 장소에서도 보이지 않는다는 점 말일세."

나는 가만히 고개를 끄덕였다.

레그랜드는 말을 계속했다.

"'사제의 저택' 에 갔을 때에는 주피터도 데리고 갔었네. 그 녀석은 여러 날 동안 내가 이 일에 정신을 빼앗기고 있는 것을 보고는, 내가 정상이 아니라고 생각한 모양이야. 그래서 날 그대로 두면 안 되겠다고 작정했나 봐. 주피터가 어찌나 잔소리를 해 대던지, 다음 날은 새벽같이 일어나서 나 혼자만 살짝 빠져 나와 그 나무를 찾으러 갔네. 고생을 톡톡히 한 끝에 겨우 그걸 찾기는 했지. 그리고 저물녘 집으로 돌아오니까 주피터가 나를 때리겠다고 야단이더군. 그 다음의 탐험은 자네도 함께 했으니까 더 이상 얘기할 게 없군."

"그럼 맨 처음에 구덩이를 잘못 판 건 주피터가 그 풍뎅이를 해골의 왼쪽 눈이 아니라 오른쪽 눈으로부터 떨어뜨려서 그런 건가?"

"그래. 그 실수 때문에 '실을 퀜 탄환'에, 즉 나무에서 제일 가까운 말뚝의 위치에 9센티미터의 오차가 생긴 것이지. 만일, 보물이 바로 아래에 묻혀 있었다면 오차가 크지 않아서 별로 상관이 없었겠지만, 15미터를 연장한 후에는 그 오차가 굉장한 것일세. 보물이 이 부근 어딘가에 꼭 묻혀 있으리라는 신념이 나에게 없었더라면, 우리들은 괜한 헛수고만 했을 걸세."

"해골을 그런 일에 사용한다는 생각, 다시 말해서 해골의 눈알로 총알을 떨어뜨린다는 생각은 키드가 해적의 깃발로부터 암시를 받은 것이 아니겠나? 그런데 키드는 왜 하필 그 무시무시한 해골을 사용해서 자기의 재산을 다시 찾으려는 생각을 했을까?"

"바로 그 부분에서 키드가 무척 고심한 흔적이 엿보이네. '도깨비 의자'로부터 그 표적이 보이려면, 그것이 아주 작다면 흰 물건이 아니면 안 될 것일세. 그뿐만 아니라 날씨가 어떻게 변하든 간에 변함없이 흰빛 그대로, 아니 한층 희게 보이는 데 있어선 사람의 해골 이상 가는 것이 없거든."

"그건 그렇고, 자네의 과장된 말씨라든가 풍뎅이를 휘휘 내두르던 꼴은 정말 가관이었네! 난 자네가 미친 줄로만 알았어. 그리고 자네는 왜 하필 해골 왼쪽 눈에서 총알이 아니라 풍뎅이를 떨어뜨리겠다고 했나?"

"사실대로 말하자면, 자네가 나를 미쳤나 하고 의심하는 눈길에 너무도 화가 나서 한바탕 자네를 곯려 주려는 심산이었네. 그래서 괜히 풍뎅이를 휘두르기도 하고, 나무에서 아래로 내려뜨리기도 한 것일세. 나무에서 풍뎅이를 내려뜨린다는 생각은, 그것이 무척 무겁다고 한 자네의 말에서 힌트를 얻은 걸세."

"응, 알겠네. 그런데 아직 한 가지만은 모르겠는데, 우리들이 구덩이를 팠을 때 나온 사람의 해골은 웬 것일까?"

"그것은 나도 확실히는 모르지만, 아마도 이렇게 되지 않았을까 생각하네. 키드가 이 보물을 감추는 데는 여러 사람의 힘이 필요했을 걸세. 그리고 일이 끝난 다음, 이 일에 참가한 사람들을 모두 없애 버리는 것이 좋을 거라고 생각했겠지. 또한 그것을 실천에 옮기기란 그리 어려운 일이 아니었을 거야. 그의 부하들이 구덩이 속에서 부지런히 일을 하고 있을 때 위에서 곡괭이로 두어 번만 내리갈기면 충분했을 테니까. 아니면 한 열 번쯤은 후려쳐야 했을까? 그야 알 수 없는 일이지. 하지만 내가 말하는 것과 같은 잔인하고 끔찍한 일이 정말로 일어났다면, 그건 정말 무서운 일일세."

모르그 가의 살인 사건

나는 18××년 봄에서 초여름에 걸쳐 파리에 머물렀는데, 그 때 오귀스트 뒤팽이라는 사람과 사귀게 되었다. 이 젊은 신사는 유명한 집안에서 태어나 남부러울 것 없이 자랐으나, 계속된 불운으로 말미암아 활력을 잃은 나머지 세상에서 활동하겠다든가 집안을 다시 일으키겠다든가 하는 생각을 아예 포기하고 있었다.

채권자들의 호의로 유산 일부가 아직 그의 명의로 되어 있었기 때문에 거기서 나오는 수입으로, 지나친 사치는 피하고 되도록 검소하게 생활하면서 일상 생활을 영위하고 있었다. 그에게 있어 책이 유일한 사치품이었는데, 다행히 파리에서는 책을 쉽게 구할 수 있었다.

우리가 처음 만난 건 몽마르트르 거리의 이름 없는 도서관에서였다. 우연히 우리 두 사람은 다 같이 진기한 책을 찾고 있었는데, 그것을 인연으로 해서 사귀게 되었다.

우리는 자주 만났다. 프랑스 인들은 자기 일을 화젯거리로 삼을 때 무척 솔직해지는데, 그런 솔직함으로 그가 이야기해 준 자기 집안 내력은 나에게 커다란 호기심을 불러일으켰다.

또한 나는 그의 독서의 폭넓음에 감탄했으며, 무엇보다도 그의 자유분방한 상상력과 발랄하고 생기 넘치는 열정에 전염되어 내 몸 속에서도 불이 붙는 듯한 느낌을 가지게 되었다.

당시 나는 어떤 물건을 찾기 위해 파리에 와 있었는데, 이런 나에게 뒤팽 같은 사람과의 교제가 더할 수 없이 유익한 일이라고 느껴졌으며, 그런 나의 감정을 그에게 솔직하게 고백했다.

그러다가 내가 파리에 있는 동안은 둘이서 함께 지내자는 데 의견이 일치했다.

주머니 사정은 내 쪽이 다소 나은 편이었으므로 집세 외에 가구 구입에 드는 일체의 비용은 내가 부담하였다. 우리는 생제르맹 교외의 구석진 곳에 붕괴 직전의 꼴로 서 있는 고색창연하고 음산하기 짝이 없는 저택을 빌렸다. 무슨 이유 때문인지 오랫동안 비어 있던 이 저택을 우리는 두 사람의 취향에 맞게 다소 환상적이고 음울한 분위기로 꾸몄다.

이 집 안에서 이루어지는 우리 두 사람의 생활이 세상에 알려졌더라면, 틀림없이 미치광이 취급을 받았을 것이다. 우리는 세상과의 인연을 완전히 끊고 외부 사람은 어느 누구도 출입시키지 않은 채 우리 둘만의 생활을 영위했다. 이 은신처의 소재에 대해서는 나의 친한 친구에게조차 알리지 않았으며, 뒤팽 역시 파리에 소식을 끊은 지 이미 오래였다.

밤에 잠을 자지 않고 공상을 즐기는 내 친구의 별난 습관에 나도 차츰 물들어 갔다.

밤의 여신이 늘 함께 있어 주기를 바랄 수는 없었으므로, 첫새벽 동이 트는 즉시 우리는 이 낡은 건물의 육중한 셔터를 전부 내리고 두 개의 촛불을 켰다.

이러한 준비를 갖추고 나서, 독서하고 글을 쓰며 이야기를 나누는 등 분주히 꿈속을 헤매다 보면 시계의 종이 진짜 밤의 도래를 알렸다.

그러면 우리는 팔짱을 끼고 거리로 뛰어나가 낮의 화제를 계속 이야기하든가, 밤이 깊도록 이곳 저곳을 걸으며 대도시의 휘황한 빛과 그림자에 에워싸여, 오직 느긋하게 관찰하는 자만이 누릴 수 있는 마음의 여유를 즐겼다.

나는 뒤팽이 풍부한 상상력을 가지고 있다는 걸 알고 있었다. 하지만 산책을 하면서 내보이는 특유의 분석 능력을 다시 깨닫고는 새삼스레 감탄을 하곤 했다. 뒤팽은 이러한 자신의 능력을 뽐내지는 않았으나, 그것을 발휘하는 데 커다란 기쁨을 느꼈으며, 그런 기쁨을 주저 없이 표현하였다.

뒤팽이 말하길, 자기 눈으로 볼 때 대부분의 인간은 가슴에 마음을 비춰 주는 창을 달고 있어서, 그의 눈에는 사람들의 심중이 들여다보인다는 것이었다. 그 예로서 나의 마음을 간파하고 있다는 구체적이고 놀라운 증거를 들어 보이는 것이었다. 그럴 때의 그의 태도는 냉담했으며, 신들린 것처럼 보이기도 했다. 눈에서 표정이 사라지고 목소리도 평소와는 달리 히스테리라도 일으키고 있는 것처럼 날카로워졌다. 이러한 상태의 그를 바라보고 있으면, 나는 곧잘 고대 철학의 '이중 영혼설'이 생각나서 창조적인 뒤팽과 분석적인 뒤팽이 섞여 있다는 공상에 잠기곤 했다.

어느 날 밤, 우리는 길게 일직선으로 뻗어 있는 지저분한 길을 걷고 있었다. 둘 다 깊은 생각에 잠겨 있어서 15분 정도 서로 말 한 마디 하지 않았다.

그런데 갑자기 뒤팽이 이런 말을 했다.

"그 사람은 키가 작으니, 만담이나 하는 무대에 꼭 알맞겠군."

"맞아. 나도 그렇게 생각해."

하고 나는 무의식적으로 대답했다.

나는 생각에 열중하고 있던 탓에 뒤팽이 내 생각에 파장을 맞추어 온 기묘함을 당장은 눈치채지 못했다. 그러나 문득 제정신으로 돌아온 다음에 몹시 놀랐다.

"뒤팽."

나는 정색을 하고 말했다.

"이건 뜻밖인데. 아니, 놀랐네. 내 귀를 믿지 못할 지경이군. 어떻게 내가 생각하고 있던 것을 알 수 있었지……?"

나는 그가 내가 무엇을 생각하고 있었는지, 정말로 알고 있었는지를 확인하고 싶었다.

나는 다시 한 번 뒤팽에게 물었다.

"자네는 내가 누구 일을 생각하고 있었는지 정말로 알고 있었나?"

"샹틸리 일이지."

그가 말했다.

그것은 틀림없는 사실이었다. 샹틸리는 생드니 거리의 구두 수선공이었는데, 연극에 미쳐서 얼마 전에 어떤 연극의 주인공 역을 자청해 나섰다가 형편없이 망신만 당했었다.

"부탁이야, 말해 줘."

하고 나는 다급하게 말했다.

"그 때 내가 무슨 생각을 했는지를 자네는 감쪽같이 알아챘는데, 도대체 어떻게 해서 그럴 수 있는지 그 방법을 말해 줘……."

이윽고 뒤팽이 입을 열었다.

"자네는 과일 장수 덕분에 그 구두 수선공이 '크세르크세스'나 그 밖의 비슷한 역할에는 키가 모자란다는 결론을 얻게 되었지."

"과일 장수라고? 그건 뜻밖이군. 나는 과일 장수는 한 사람도 모르는데."

"이 거리로 들어섰을 때 자네에게 부딪친 사나이 말일세. 그렇지, 한 15분쯤 전의 일이지."

그러고 보니 조금 전에 커다란 사과 광주리를 머리에 인 과일 장수와 부딪쳐 넘어진 일이 떠올랐다. 그러나 이것이 샹틸리와 어떻게 결부되는지 나로선 전혀 짐작이 되질 않았다.

"그럼 확실히 이해가 되도록 설명하지."

하고 뒤팽이 말했다.

"맨 먼저 내가 자네에게 말을 걸었던 시점에서 그 과일 장수와 부딪친 시점까지 자네의 생각을 거꾸로 더듬어 보세. 간단히 말해서 자네 생각의 줄거리는 이렇게 되네. 샹틸리, 오리온 성좌, 나콜스 박사, 에피쿠로스, 스테레오토미(적설법), 도로의 포석, 과일 장수라고 말이야."

나는 뒤팽의 이야기를 듣고 그 정확성에 놀라지 않을 수 없었다.

"내 기억에 틀림이 없다면 C 거리를 지나가기 직전 우리는 말 이야기를 하고 있었지. 그것이 우리의 마지막 화제였어. 그리고 막 거리로 들어섰을 때 머리에 커다란 광주리를 인 과일 장수가 우리 옆을 스쳐 갔지. 그 순간 자네는 포석 더미 위로 쓰러졌어. 보도가 수리 중이고 거리에 돌이 쌓여 있었기 때문이지. 자네는 그 돌 더미에 발이 걸려 넘어져 발목을 약간 다치자 아픈 듯이 불쾌한 인상을 짓고, 한두 마디 중얼거리더니 다시 묵묵히 걷기 시작했지."

그는 이어서 말했다.

"자네는 눈을 내리깐 채 걸어갔어. 도로의 구멍, 수레바퀴 자국을 언짢은 듯이 힐끗힐끗 보곤 했는데, 그래서 '자네가 아직 돌에 대해서 생각하고 있구나.' 하고 생각했어. 이윽고 우리는 라마르틴이란 골목에 이르렀는데, 그 길은 돌을 겹쳐 깔아 고정시키는 포장 방식으로 포석이 깔려 있었는데, 거기서부터 자네 얼굴이 갑자기 밝아졌어. 그리고 입술도 움직였어. 자네는 분명 '스테레오토미' 라고 중얼거리는 것 같더군. 그러한 포장 방식에 대해 사람들이 그렇게 불렀지. 자네가

스테레오토미라고 중얼거리고 나면, 그 다음에는 원자와 나아가서 에피쿠로스의 학설을 연상하지 않을 수 없으리라고 여겼지. 그런데 바로 얼마 전에 자네와 나는 에피쿠로스 학설에 대해 얘기한 적이 있었지. 이 위대한 그리스 인의 막연한 추측이 최근의 성운 우주 창조설에 의해 확인되었음에도 불구하고, 예상 외로 사람들의 주의를 끌지 못했다고 말이야. 그래서 나는 자네가 오리온 성좌의 그 대성운을 쳐다볼 거라고 기대했네. 아니나 다를까 자네는 하늘을 쳐다봤지. 그래서 나는 확신을 얻었어. 자네 사고의 길을 정확히 따라왔다고 말일세. 그런데 어제 《뮈제》에 실렸던 그 샹틸리를 무자비하게 헐뜯었던 기사에서, 그 비평가는 구두 수선공이 비극을 하기 위해 이름을 바꾼 것을 천박한 짓이라고 비꼬면서, 우리가 곧잘 화제에 올렸던 라틴 어 시구를 인용했더군. 바로 이 시구였어.
'최초의 글자는 옛 소리를 잃었도다.'
자네한테도 이야기했지만 이것은 옛날의 우리온(Urion)이 오리온(Orion)으로 된 것을 비유한 문구야. 그 설명을 할 당시 나는 꽤 기발한 말을 했으므로 자네가 꼭 기억할 것으로 여겼었지. 따라서 자네가 오리온과 샹틸리를 결부시키리라는 건 분명했네. 사실 자네가 그 두 가지를 결부시켰다는 건 자네 입술에 문득 떠오른 미소를 보고 알았다네. 자네는 그 불쌍한 구두 수선공을 생각했지. 그 때까지 자네는 몸을 움츠리고 걷고 있었는데, 갑자기 허리를 쭉 펴더군. 그래서 자네가 구두 수선공의 키가 너무 작다는 것에 대해 생각하고 있음을 알아차렸어. 내가 자네의 명상에 끼어들어, 과연 샹틸리는 키가 작아서 그 작자는 만담이나 하는 무대에 알맞다고 말한 건 바로 그 때였지."

이런 일이 있은 지 얼마 안 되어 《가제트 데 트리뷔노》를 살피고 있는데, 다음과 같은 기사가 우리의 주의를 끌었다.

기괴한 살인 사건――

오늘 새벽 3시쯤 생로크 구의 주민들은 계속되는 무서운 비명 소리에 잠이 깼다. 비명은 모르그 가에 있는 레스파네 부인과 딸 카미유 레스파네 양이 살고 있는 건물의 4층에서 흘러나오는 듯했다.

놀란 이웃 주민 열 사람 정도와 경관 두 사람이 집 안으로 들어가려 했으나 문이 열리지 않았다. 시간이 잠시 흐른 후 겨우 쇠지레로 문을 비틀어 열고 거실 안으로 들어갔지만 그 때는 이미 비명이 그쳐 있었다.

그러나 일행이 1층에서 2층으로 통하는 계단을 뛰어올라가고 있을 때 다투는 듯한 거친 목소리가 두세 번 똑똑히 들렸는데, 그것은 건물의 3, 4층 근처에서 들리는 것 같았다. 2층 층계참에 이르렀을 때에는 그 소리도 그쳐 사방은 아주 고요해졌다.

일행은 갈라져서 각 방을 조사하며 다녔다. 안으로 잠겨 있는 4층 안쪽의 커다란 방문을 겨우 열고 들어가 보니, 차마 눈뜨고 볼 수 없는 처참한 광경이 펼쳐져 있어 그 자리에 있던 사람들 모두 몸서리를 쳤다.

방 안은 아수라장이 되어 있었다. 가구는 부서져 그 조각이 방 가득히 흩어져 있었고, 침대에 있던 이불이 방 가운데 내동댕이쳐져 있었다. 의자 위에는 피로 범벅이 된 면도칼이 하나 놓여 있었고, 벽난로 위에는 회색 머리털이 두세 뭉치가 있었는데, 그것도 피범벅이어서 머리에서 뿌리째 뽑힌 것 같았다. 나폴레옹 금화 4개, 토파즈 귀고리 1개, 은숟가락 3개, 작은 양은숟가락 3개, 금화 약 4천 프랑이 든 주머니 2개 등이 바닥에 흩어져 있었다.

방 한구석의 옷장 서랍은 마구 들쑤셔진 채 열려 있었으나, 안의 물건은 아직 많이 남아 있었다. 뚜껑이 열려 있는 소형 철제 금고가 침구 밑에서 열쇠가 꽂힌 채 발견되었는데, 속에는 몇 통의 낡은 편지와 그

밖에 그다지 중요하지 않은 서류가 들어 있었다.

레스파네 모녀의 모습은 보이지 않았다. 그러나 벽난로에 꽤 많은 양의 숯검정이 보여 굴뚝을 조사한 결과, 머리를 밑으로 한 딸의 시체가 처박혀 있었다. 이러한 꼴로 좁은 굴뚝에 꽤 높이 억지로 밀어넣은 모양이었다. 몸은 아직 따스했다.

조사해 보니 몸에는 많은 찰과상이 있었는데, 그 상처들은 밀어올려지고 끌어내려졌을 때 생긴 것 같았다. 얼굴은 심하게 긁힌 상처투성이였고, 목에는 시꺼먼 타박상과 깊은 손톱 자국이 패어 있어 피해자는 목이 졸려 숨진 것으로 추측된다.

집 안을 샅샅이 수색했으나 그 이상은 발견되지 않았다. 그래서 일행이 건물 뒤쪽의 돌이 깔려 있는 뜰로 나갔더니 거기에 노부인의 시체가 있었다. 목이 심하게 찢겨져 있어 들어올리려는 순간 머리가 굴러떨어졌다. 몸통 역시 너무나 무참하게 난도질을 당해 원래의 모습을 알아볼 수 없을 지경이었다.

하지만 이 괴사건의 단서는 아직까지 아무것도 발견된 것이 없다.

다음 날 조간 신문은 다음과 같은 내용을 실었다.

모르그 가의 참극——

참으로 기이하고 흉악한 이 사건에 관하여 많은 사람들이 조사를 받았으나, 사건 해결의 단서는 무엇 하나 발견되지 않았다.

다음은 주요 증언이다.

세탁부 폴린 뒤부르 부인의 증언——

3년 동안 이 집의 세탁물을 도맡아 처리해 주고 있었기 때문에 피해자 두 사람과는 잘 알고 지냈다. 노부인과 딸은 사이가 좋았으며 서로 위해 주고 살았다. 돈 계산은 정확했으나 생활이 어느 정도인지 수입원에 대해서는 잘 알지 못한다. 생계에 보탬이 되고자 레스파네 부인은 점치는 일을 했던 것 같다. 돈을 저축하고 있다는 소문이 있었다. 세탁물을 가지러 가든가 돌려주러 갔을 때, 집 안에서 다른 사람을 본 적은 없다. 사람을 부리고 있었던 적이 없었으며, 4층 이외에는 어느 곳에도 가구 같은 건 없었다.

담배 가게 주인 피에르 모로의 증언——

4년 동안 소량의 담배 및 코담배를 레스파네 부인에게 팔아 왔다. 증인은 이 곳 태생으로 줄곧 여기에서 살았다. 노부인과 딸이 그 집에서 산 지는 6년 정도 되었다.

그 이전에는 보석 가게 하는 사람이 세들어 살았었는데, 보석 가게 주인은 위층 방들을 각양각색의 사람들에게 멋대로 세를 주었다. 이 건물의 주인인 레스파네 부인은 그 보석상이 자기 건물을 제멋대로 사용하는 것이 못마땅해 자기가 들어오고 나서는 아무에게도 방을 빌려주지 않았다.

노부인은 어린애처럼 순진한 데가 있었다. 증인이 그 집 딸을 만난 건 6년 동안 대여섯 번에 불과할 정도로, 두 사람은 세상과는 전혀 교류가 없는 생활을 하고 있었다. 부자라는 소문이 있었다. 근처 사람들에게 부인이 점을 친다는 이야기를 들은 적이 있지만, 그렇게는 생각하지 않는다. 노부인과 딸 외에는 운송업자가 한두 번, 의사가 여덟 번 내지 열 번 그 집으로 들어가는 걸 보았을 뿐이다.

그 밖에 다수의 이웃 사람들이 거의 비슷한 내용의 증언을 했다. 이 집에 자주 드나들었다는 소문이 있는 사람은 없었다. 그 집의 가까운 친척이 생존해 있는지의 여부도 불분명하다. 길 쪽으로 나 있는 창문이 열려 있을 때는 좀처럼 없었고, 건물 뒤쪽의 창 역시 4층 뒤쪽 방의 창을 제외하고는 항상 닫혀 있었다. 건물은 튼튼하게 지어져 아직 별로 낡지 않았다.

경관 이시도르 뮈세의 증언——

새벽 3시경 신고를 받고 그 집으로 달려갔다. 20, 30명의 사람이 건물 입구에서 웅성거리며 집 안으로 들어가려고 애쓰고 있었다. 증인이 문을 총검으로 비틀어 열었다.(신문 기사와 같은 쇠지레가 아니다.) 문은 간단한 여닫이문으로 위아래 모두 빗장이 걸려 있지 않았으므로 여는 데는 그다지 오래 걸리지 않았다.

비명은 문이 열릴 때까지 계속되다가 갑자기 그쳤다. 그것은 극심한 고통을 당하면서 부르짖는 소리로, 높고 긴 외침이었다. 증인은 앞장서서 계단을 올라갔다.

최초의 층계참에 이르렀을 때 큰 소리로 화를 내며 다투는 듯한 두 사람의 음성이 들렸다. 하나는 굵고 탁한 음성, 또 하나는 몹시 날카롭고 기괴한 음성이었다. 굵은 음성의 말 중 몇 마디는 분명 프랑스 어였다. 여자 음성이 아니었다는 건 확실하다. '죽일놈'이라든가 '아이고 저놈' 하는 소리를 들을 수 있었다. 날카로운 음성은 외국인의 소리라고 생각된다. 남자 소린지 여자 소린지 알 수 없으나 아마도 에스파냐 어였다고 생각된다.

이웃 은세공사 앙리 뒤발의 증언——

최초로 건물에 들어간 한 사람으로, 대부분 뮈세의 증언을 뒷받침하고 있다. 문을 비틀어 연 다음 곧바로 잠가 버렸다. 한밤중인데도 사람들이 떼지어 몰려들었으므로 들어오지 못하게 하기 위해서였다.

그런데 이 증인의 의견으로는 날카로운 소리는 이탈리아 어지 프랑스어가 아니라고 확신한다. 또한 남자 목소리인지 여자 목소리인지는 알 수 없었다. 하지만 이탈리아 어는 잘 모른다. 말을 알아들을 수는 없었지만 억양으로 봐서 이탈리아 어인 것 같았다. 레스파네 부인과 딸과는 잘 아는 사이로 두 사람과는 곧잘 이야기를 나누었었다. 날카로운 소리가 두 피해자 중 어느 쪽의 소리도 아닌 것은 확실하다.

음식점 주인 오덴하이머의 증언──

이 사람은 네덜란드 인으로 자진하여 증언에 응했다. 프랑스 어를 몰라 통역을 해서 증언했다. 비명 소리가 났을 때 그 건물 옆을 지나가고 있었다. 비명은 약 10분쯤 계속되었다. 높고 길게 꼬리를 끌었고 고통에 찬 소름끼치는 소리였다. 이 증인 역시 집 안으로 들어간 사람 중 하나로, 한 가지 점을 제외하고는 다른 사람의 의견과 같았다. 건물 안에 들어갔을 때 들려온 날카로운 소리는 남자의 소리로, 그것은 프랑스 어로 확신한다. 하지만 말은 알아들을 수가 없었다. 빠르고 큰 소리로 높낮이도 분명치 않았다. 화를 내고 있었지만 몹시 겁을 먹은 듯한 소리였고, 목소리는 거칠었다. 소리는 날카롭다기보다는 귀에 거슬리는 거친 소리였다. 굵은 목소리는 '어이쿠!' 라는 말과 '저런!' 이라는 말을 여러 번 되풀이하다가, 한 번은 '지독한 놈!' 이라고 말했다.

들로렌 가의 은행 총재 쥘레 미뇨의 증언──

레스파네 부인에게는 얼마간의 재산이 있었다. 증인의 은행과는 8년 전 봄부터 거래가 있었다. 틈틈이 예금을 했다. 예금 인출은 전혀 없다가 죽기 사흘 전에 처음으로 4천 프랑의 거액을 찾아갔다. 전액 금화로 지급하였고, 은행원 한 사람을 시켜 그 돈을 집까지 들어다 주도록 했다.

미뇨의 은행원 아돌프 르 봉의 증언──

그 날 정오쯤 4천 프랑이 든 두 개의 주머니를 들고 레스파네 부인을 따라 그녀 집까지 갔다. 문이 열리고 카미유 레스파네 양이 모습을 나타내어 그의 손에서 주머니 하나를 받아들고, 노부인은 다른 한쪽 주머니를 받았다. 그래서 인사를 하고 그 집을 나왔다. 그 때 길에는 사람이 없었고, 후미진 뒷거리였기 때문에 매우 한적했다.

양복점 주인 윌리엄 버드의 증언——

집 안으로 들어간 일행의 한 사람으로 영국인이다. 파리에 산 지는 2년쯤 되었다. 계단을 올라갈 때 앞장섰던 사람 중 한 명이다.

문제의 소리는 들었다. 굵은 목소리는 프랑스 인으로, 몇 가지 말은 알아들었으나 전부는 기억나지 않는다. '어이쿠!' '지독한 놈!' 은 똑똑히 들었다. 몇 사람이 한데 얽혀 다투고 있는 듯한 소리가 났다. 서로 뜯고 할퀴고 격투하는 것 같은 소리였다. 그 중 날카로운 소리는 아주 컸다. 굵은 목소리보다 훨씬 컸다. 영어가 아닌 것만은 확실하데, 독일어 비슷했다. 여자 소리였는지도 모른다. 하지만 독일어는 모른다.

이상의 증인 중 네 사람이 다시 소환되어 증언한 바에 의하면, 카미유 레스파네 양의 시체가 발견된 방의 문은 일행이 도착했을 땐 안쪽으로 잠겨 있었다. 신음 소리도, 다른 어떤 소리도 나지 않았다. 우르르 몰려들어갔을 때는 아무도 없었다.

창문은 앞방, 뒷방 모두 닫혀 있었고 안으로 꼭 잠겨 있었다. 두 방을 통하게 되어 있는 문 하나는 닫혀 있었으나 잠겨 있지는 않았다. 양쪽 방에서 복도로 통하는 문에는 자물쇠가 걸려 있었으나 열쇠는 안에 꽂혀 있는 채였다.

건물 앞쪽에 있는 4층 복도의 막다른 곳에 있는 작은 방의 문은 활짝 열려 있었다. 이 방에는 낡은 침대, 상자 등이 쌓여 있었다. 이러한 물건도 일일이 들어내어 수사를 했다. 집 안에 신중한 조사가 이루어지지 않은 곳은 한 군데도 없었다. 굴뚝은 굴뚝 쑤시개로 쑤셔 보았다.

이 집은 4층 건물로 다락방이 붙어 있었다. 다락방의 문은 단단히 못질이 되어 있었고, 몇 년 동안 열린 흔적은 없었다. 다투는 소리를 듣고 방문을 비틀어 열기까지 경과한 시간에 대한 증인의 진술은 저마다 달랐다. 어떤 사람은 3분이라 하고, 어떤 사람은 5분이라고 했다.

장의사 주인 알퐁소 가르시오의 증언——

모르그 가에 거주하는 에스파냐 사람이다. 집 안으로 들어간 일행의 한 사람이나, 2층에는 올라가지 않았다. 신경이 예민한 편이라 흥분하면 좋지 않으리라 생각했기 때문이다.

다투는 소리는 들었다. 굵은 목소리는 프랑스 인의 소리였다. 무슨 말인지는 알아들을 수가 없었다. 날카로운 소리는 영국인의 목소리였다. 이것은 확신할 수 있다. 영어는 모르지만, 억양으로 그렇게 판단했다.

제과점 주인 알베르토 몬타니의 증언――

이탈리아 인으로, 앞장서서 계단을 올라간 사람 중의 한 명이다.

문제의 소리는 들었다. 굵은 목소리는 프랑스 인의 소리였으며 몇 마디 알아들을 수 있었다. 달래고 있는 듯한 느낌이 들었다. 날카로운 목소리는, 말의 의미가 분명치 않았으며 빠르고 높낮이가 심했다. 러시아어같이 느껴졌다. 그 밖의 내용은 다른 증언과 같다. 하지만 증인은 러시아 인과 말해 본 적이 없다.

몇 명의 증인이 다시 호출되어 증언――

4층에 있는 방의 굴뚝은 모두 사람이 도저히 통과할 수 없을 정도로 좁다. 스위프라는 굴뚝 청소용 브러시로 집 안의 모든 굴뚝을 쑤셔 보았다. 또한 사람들이 계단을 올라가는 사이에 아래로 내려갈 수 있는 뒷길은 없다. 카미유 레스파네 양의 시체는 굴뚝에 꽉 박혀 있었으므로 일행 중 서너 명이 힘을 합해 끌어내리지 않으면 안 되었다.

의사 폴 뒤마의 증언――

새벽녘에 시체 조사를 위해 호출되었다.

시체는 둘 다 레스파네 양의 것이 발견된 방의 침대 위에 놓여져 있었다. 딸의 시체에선 심한 타박상과 찰과상이 발견되었다. 이것이 굴뚝에 쑤셔 넣어졌다는 사실을 충분히 뒷받침해 준다. 목은 몹시 벗겨져 있었다. 턱 바로 밑에는 깊이 긁힌 상처가 몇 군데 있고 또 몇 군데 검은 반점도 있었는데, 분명 손가락으로 짓눌린 것으로 여겨진다. 얼굴색이 검게 변해 있었고 눈알이 튀어나왔으며, 혀의 일부가 물려 잘라져 있었다. 명치의 커다란 타박상은 무릎의 압박으로 생긴 것으로 여겨진다. 뒤마 씨의 견해에 의하면 레스파네 양은 한 사람 또는 여러 사람에 의하여 목이 졸려 숨진 것으로 보인다.

어머니의 시체는 무참히 난도질되어 있었다. 오른쪽 다리와 오른쪽 팔뼈는 여러 군데 손상을 입었고, 왼쪽 늑골 전부와 왼쪽 정강이뼈는 바스러져 있었다. 온몸이 타박 상태로 변색되어 있었다. 가해 방법에 대해서는 뭐라고 단정할 수 없다.

무거운 몽둥이, 굵은 쇠뭉치, 아니면 의자 종류의 무거운 대형 둔기가 매우 힘센 사나이에 의해 휘둘러졌을 때 이러한 결과가 생길 가능성이 있다. 여성의 경우 어떠한 흉기로도 이러한 타격을 가하는 것은 불가능하다. 피해자의 머리 부분은 몸통에서 절단되어 있었고 몹시 손상되어 있었다. 목은 예리한 도구에 의해 찢겨 있었다.

외과의사 알렉상드르 에티엔이 소환되어 뒤마 씨와 함께 검시했는데, 에티엔의 증언은 뒤마 씨의 견해를 뒷받침해 주고 있다.

그 밖의 여러 명에 대해 신문이 있었으나 새로운 사실은 나오지 않았다. 그 동안 파리에서는 모든 점에서 이만큼 수수께끼에 싸인 살인 사건은 일어난 적이 없다. 단서가 될 만한 것이 전혀 발견되지 않아 경찰도 완전히 손을 들었다.

이 신문의 석간에 의하면, 생로크 거리는 아직도 떠들썩하고 문제의 저택에 신중한 재수사가 시작되어 새로운 증인이 소환되었으나, 모든 것이 헛수고였다고 한다. 덧붙여 아돌프 르 봉의 체포 수감을 보도하고 있었다. 그를 범인으로 단정할 만한 단서가 전혀 없는데도 말이다.

뒤팽은 이 사건의 경위에 각별한 관심을 기울이고 있었다. 뒤팽은 르 봉 수감의 발표가 있은 다음 날 내 의견을 물었다.

이 사건을 불가해한 수수께끼로 보는 점에서는 나도 모든 파리 시민과 같은 의견이라고 말할 수밖에 없었다.

"이런 겉핥기식 조사만 가지고 수사를 했다고 할 수 있나."

뒤팽이 말했다.
"파리 경찰은 총명하고 민첩하다는 평판을 얻고 있지만 단지 잔꾀가 있을 뿐이야. 이들의 수사 절차에는 진정한 기법이라는 것이 없고 모두 임기응변일 뿐이야. 이들은 온갖 종류의 수사 기법을 가지고 있지만 그 기법이라는 것이 때로는 사건과 너무 맞지 않는 때가 있지. 물론 그들이 훌륭한 성과를 올리는 경우도 있지만, 그것은 대부분 열심히 발로 뛴 결과에 불과하지. 열심히 뛰어도 안 된다면 그것은 시작부터 잘못된 것으로, 노력 자체가 헛수고가 되고 말지."
"파리의 경찰 중에도 그런 사람이 있단 말인가?"
내가 물었다.
"비도크라는 경찰이 바로 그런 부류지. 비도크는 육감도 있고 끈기도 있어. 하지만 생각이 짧은 탓에 조사를 깊이 할수록 오히려 실패만 되풀이할 뿐이지. 그는 대상을 너무 가까이서만 보기 때문에 오히려 잘 보지 못하고 있는 거야."
"가까이서 보면 좀더 잘 보이지 않겠나?"
내가 이상하게 생각되어 물었다.
"한두 가지 점은 다른 어떤 것보다도 잘 보이겠지. 하지만 그렇게 하는 동안에 전체의 윤곽을 놓치고 말지. 비도크는 항상 너무 깊게 파고드는 데 문제가 있단 말이야. 하지만 열쇠가 항상 우물 속 깊이 있다고는 할 수 없지. 사실 중요한 열쇠는 의외의 장소에 있는 경우가 더 많아."
"왜 그런 실수를 하게 되는 건가?"
"무엇이든 너무 지나치면 생각을 분산시키고 사고력을 약화시키는 거야. 그러므로 너무 오랫동안, 너무 집중적으로 정면만 바라보고 있으면 오히려 사건의 실마리가 자취를 감춰 버리지."

나는 가만히 고개를 끄덕였다.

"그런데 이번 살인 사건 말인데, 우리 한번 독자적인 조사를 해 보지 않겠나? 뭔가를 조사한다는 건 즐거운 일이거든. 게다가 르 봉에게는 신세진 일도 있고 하니, 우리 한번 나가서 사건을 직접 확인하고 오세. 경시총감과는 잘 아는 사이니까 필요한 허가는 쉽게 얻을 수 있을 걸세."

우리는 경시총감의 허가를 얻어 모르그 거리로 갔다.

모르그 거리는 리슐리외 거리와 생로크 거리 사이에 있는 평범한 거리였다. 이 구역은 우리가 살고 있는 곳에서 꽤 떨어져 있었으므로 우리가 당도했을 때에는 정오가 훨씬 지나 있었다.

집은 곧 찾았다. 아직도 많은 사람들이 도로의 반대쪽에서 닫혀진 덧문을 멀거니 바라보고 있었다.

사건이 일어났던 집은 파리 시내 어느 곳에서나 흔히 볼 수 있는 집으로, 입구가 있고, 그 한쪽에는 유리창이 달린 방이 있고, 창에는 여닫이문이 있어 그것이 문지기 방임을 나타내고 있었다.

집 안으로 들어가기 전에 우리는 집 주변을 훑어보았다.

그 동안 뒤팽은 그 집뿐만 아니라 부근 일대에도 열심히 눈길을 돌리고 있었는데, 나로서는 그가 무엇을 보고 있는지 짐작조차 할 수 없었다.

이윽고 우리는 건물 앞으로 와서 초인종을 누르고, 경관에게 허가증을 보인 다음 안으로 들어갔다.

우리는 계단을 올라가 카미유 레스파네 양의 시체가 발견된 방으로 들어갔는데, 그 방에는 아직까지 두 사람의 시체가 놓여 있었다. 방 안의 어지러운 상태도 그대로 보존되어 있었다.

《가제트 데 트리뷔노》가 보도했던 이상의 것은 아무것도 눈에 띄지 않았다.

뒤팽은 하나하나 자세히 조사해 나갔다. 피해자의 시체도 자세히 살폈다. 그러고 나서 우리는 다른 방에도 가고 뜰에도 나가 보았다.

그 동안 줄곧 두 사람의 경관이 우리를 따라다녔다. 우리는 어두워질 때까지 조사를 하고는 그 집에서 나왔다. 돌아오는 길에 뒤팽은 어느 일간 신문사에 잠깐 들렀다.

무슨 일인지 뒤팽은 평소답지 않게 다음 날 정오가 될 때까지 아무 말도 하지 않았다. 무슨 일을 보고 느꼈을 때 장황하게 얘기하는 그의 모습과는 사뭇 대조적이었다.

다음 날 오후가 되어서야 뒤팽은 나에게 말을 걸어 왔다.

"자네는 범행 현장에서 특이한 점을 발견하지 못했나?"

'특이한' 이라는 말을 강조했을 때의 그의 말투에서 나는 무언지 모를 전율을 느꼈다.

"아니, 나는 전혀 못 느꼈는데……. 그 신문에 씌어진 이상의 것은 말이야."

나는 머뭇거리며 대답을 했다.

"《가제트 데 트리뷔노》는 이 사건이 괴상하다는 점은 언급하고 있지 않아. 하긴, 신문의 태평스런 의견 따윈 아무래도 좋아. 내가 보기엔 이 사건을 해결 불가능한 것으로 여기게 하는 바로 그 이유가, 오히려 이 사건의 실마리가 될 수 있을 것 같네."

"그게 도대체 뭔가?"

나는 호기심이 발동하여 물었다.

"사건의 외관상의 특징을 말하는 거지. 경찰이 갈피를 못 잡고 있는 것은, 그토록 잔인하게 죽이지 않으면 안 될 동기가 없는 것 같다는 점에 있지. 그들이 어리둥절해하는 또 하나의 특징은 말다툼하는 소리를 들었다는 것과 이층방에는 살해당한 레스파네 양 이외에는 아무도 없었고, 게다가 계단을 오르고 있었던 일행에게 들키지 않고 탈출할 방법이 없다는 것, 이 두 가지 사실이 아무래도 맞아떨어지지 않는다는 거야. 방 안이 심하게 흐트러져 있다는 것, 노인의 몸이 마구 난도질되어 있었다는 것들이 내가 방금 말한 것들과 결합되면 국가 경찰의 힘도 마비되고 그야말로 손을 들 수밖에 없겠지. 그 사람들은 이상함과 난해함을 혼동하는 커다란, 그러면서도 흔해빠진 오류를 범하고 있는 거야. 따라서 사건을 해결하기 위해서는 이러한 평범한 차원에서 벗어나야 하는 거지. 이제부터 우리가 해 나갈 조사에서는 '무엇이 일어났느냐' 보다는 '지금까지 일어난 적이 없는 어떤 일이 일어났느냐' 를 문제삼아야 하는 걸세. 나는 곧 이 사건을 해결해 보이겠네. 아니, 실은 이미 해결한 거나 마찬가지지."

나는 어안이 벙벙하여 그저 말없이 뒤팽을 바라볼 뿐이었다.

"지금 나는 누구를 기다리고 있는데 말이야."

하고 말하며 뒤팽이 방문 쪽으로 눈길을 돌렸다.

"지금 내가 기다리고 있는 사람은 살해의 장본인은 아니겠지만, 어느 정도 관계가 있는 게 분명한 남자야. 이 범죄의 최악의 상황에 그가 직접적으로 관여하진 않았겠지만, 내 예상이 맞는다면 그 남자는 이 방으로 지금 당장이라도 올 걸세. 만약 그가 오면 그를 잡아 둘 필요가 있어. 자, 여기 총이 있네. 이걸 써야 할 경우에 어떻게 해야 하는지는 말하지 않아도 알고 있겠지?"

나는 내가 무슨 말을 들었으며, 어떻게 행동해야 할지 분간도 하지 못한 멍한 상태에서 권총을 받아들었다.

뒤팽은 잠시도 쉬지 않고 독백처럼 말을 계속했다. 이럴 때 그가 신들린 사람처럼 된다는 사실은 앞서 말한 바 있다. 그는 나를 상대로 이야기했지만, 마치 멀리 떨어진 사람에게 이야기하는 듯했다. 그의 눈은 표정을 잃은 채 오직 벽만을 응시하고 있었다.

"계단에서 일행이 들었다는 다투던 목소리가 레스파네 부인과 딸의 음성이 아니었다는 건 그들의 증언으로 완전히 입증이 되었지. 그렇게 되면 그 노부인이 우선 딸을 죽이고 나서 자살한 게 아닌가 하는 의혹은 일절 고려하지 않아도 되지. 나이든 레스파네 부인의 힘으로는 딸의 시체가 발견된 것과 같은 모양으로 굴뚝에 쑤셔넣는 일 따위는 도무지 할 수 없을 것이고, 또 그녀 자신의 몸의 상처로 봐서도 자살의 가능성은 완전히 배제되지. 그렇다면 범행은 제삼자에 의해 행해진 것이 되는데, 말다툼하던 그 소리가 제삼자의 소리라는 결과가 돼. 그럼 여기서 잠깐 주의를 돌려보세. 자네는 사람들의 증언에서 어떤 특이한 점을 발견하지 못했나?"

"글쎄?"

나는 잠시 고개를 갸우뚱거리다가 생각나는 대로 대답했다.

"굵고 탁한 목소리가 프랑스 인의 소리였다고 하는 점에서는 모든 증인의 의견이 일치되었네. 하지만 날카로운, 또한 한 증인이 귀에 거슬리는 거친 소리라고 한 그 음성에 대해서는 의견이 분분했지."

"맞아. 바로 그거야. 자네는 아무것도 특별한 것을 발견하지 못했다고 했지만 바로 그 점이 특별한 점이라네. 굵은 목소리에 대한 증인의 의견이 일치한 것은 자네가 지적한 대로야. 이 점에서는 만장일치였지. 문제는 날카로운 소리에 대해서네. 여기서 특이한 점은 의견이 각기 다른 것이 아니고, 이탈리아 인, 영국인, 에스파냐 인, 네덜란드 인, 프랑스 인이 제각기 그 소리에 관해서 설명할 때 모두가 그것을 '외국인' 의 소리라고 말하고 있다는 점이야. 모두가 자기 나라 사람의 말소리가 아니었다고 대답했어. 이것은 다시 말해서, 누구나 그것을 자기가 잘 알고 있는 언어를 사용하는 사람의 소리라고 하지 않았다는 거야."

"그러고 보니 자네 말이 맞군."

나는 무릎을 치며 대꾸했다.

"프랑스 인은 그걸 에스파냐 사람의 소리라고 하면서, '에스파냐 어를 알고 있었더라면 몇 마디 말은 알아들었을 것' 이라고 했지. 네덜란드 인은 그것을 프랑스 인의 소리라고 주장했는데, '프랑스 어를 몰라 증언은 통역을 통해서 행해졌다' 는 거야. 영국인은 그것이 독일어라고 생각했지만 '독일어는 모른다' 고 했어. 에스파냐 사람은 영국인의 소리였다고 '확신하는' 데, 단지 '억양으로 그렇게 판단하는' 것뿐이고, 마찬가지로 '영어는 전혀 모른다' 고 했어. 이탈리아 인은 그것이 러시아 인의 소리라고 믿는데 '러시아 인과 대화한 일은 없다' 고 했어. 또 한 사람의 프랑스 인은 처음의 프랑스 인과는 달리 그것을 이탈리아 인의 소리라고 단언하지만 '이탈리아 어는 모르므로' 아까의 에스파냐 사람과 마찬가지로 '억양에서 확신했다' 고 했지. 따라서 이렇듯 가지각색인 증언을 얻을 수 있는 소리라면 실제로는 아주 기묘한 음성이었음에 틀림없겠지?"

"과연 그렇겠군!"

나는 감탄하며 외쳤다.

"유럽 5개국의 사람이 모두 알아들을 수 없는 소리는 과연 무엇일까? 자네는 아시아 인이나 아프리카 인의 목소리가 아닐까 하고 말하고 싶겠지. 하지만 아시아 인이나 아프리카 인은 파리에 거의 살지 않아. 또한 그러한 추측을 부정하지는 않겠지만, 다음 세 가지 점에 자네의 주의를 환기시키고 싶네. 어떤 증인은 그 목소리를 '날카롭기보다는 귀에 거슬리게 거칠다' 고 말했어. 다른 두 사람은 '빠르고 높낮이가 일정치 않다'고 표현했지. 그리고 어느 증인도 말, 아니 말다운 소리인지조차 분간할 수 없었다고 했네. 여태까지의 내 이야기를 듣고 생각나는 게 없나?"

뒤팽이 내게 물었다.

"글쎄……."

나는 도무지 생각나는 것이 없었다.

"이 사건의 실마리는 바로 굵고 날카로운 이 목소리에 있네. 나는 사건 현장을 조사하는 내내 이 목소리의 주인공에 대해 생각했었네. 그럼 지금부터 우리의 생각의 날개를 사건이 일어났던 그 방으로 옮겨 보세."

뒤팽의 말에 따라 나는 그 방을 떠올렸다.

뒤팽은 말을 계속했다.

"우리는 먼저 무엇을 찾아야 할까? 우선 범인이 어떻게 탈출했느냐는 것을 찾아야 하네. 레스파네 모녀는 분명 유령에게 살해된 건 아니야. 분명히 범행을 저지른 자들이 있으며, 그들은 범행 후에 도망친 것이 분명해."

"어떤 방법으로 도망쳤을까에 대해 고심해야겠군."

"그렇지. 우리는 지금부터 범인들의 도주 방법을 찾아야 하네. 이 방법은 하나의 추리법밖에 없으며, 그 추리법은 반드시 우리를 확고한 결론에 도달하게 해 줄 걸세. 먼저 가능한 탈출 방법을 하나하나 검토해 보세. 일행이 계단을 오르고 있었을 때 범인이 레스파네 양의 시체가 발견된 방이나 적어도 옆방에 있었던 건 확실해. 그렇다면 우리가 찾아야 할 출구는 이 두 방밖에 없다는 결론이 되지. 경찰은 바닥, 천장, 벽의 돌 등 모든 곳을 다 뜯어봤어. 어떠한 비밀 출구라도 경찰의 눈을 벗어날 수는 없었을 거야. 내 눈으로 보아도 비밀 출구는 없었어. 두 개의 방에서 복도로 통하는 문은 둘 다 자물쇠로 잠겨 있었고, 게다가 열쇠는 안쪽에 붙어 있었지. 그렇다면 다음에는 굴뚝이지. 굴뚝은 난로에서 위쪽 3미터 정도까지는 보통 넓이지만, 그 위는 고양이도 큰 놈은 지날 수 없을 정도야. 따라서 굴뚝을 통한 탈출은 불가능하지. 그렇다면 이제 남은 것은 창문뿐일세. 방의 앞쪽 창으로 탈출했다면 길에 있던 사람들이 모를 리가 없어. 그렇다면 범인은 뒤쪽 창으로 달아났음에 틀림없지."

"하지만 뒤쪽 창문으로 도망가는 건 불가능하지 않나?"

내가 의아해하며 물었다.

그러자 뒤팽은 고개를 가로저으며 말했다.

"바로 그 점이 경찰이 놓친 부분이야. 방 뒤쪽에는 창문이 두 개 있지. 하나는 침대로 가려져 있지 않아 전체가 다 보이지. 또 하나는 멋없이 큰 침대가 가로막고 있어 침대 머리에 숨겨져 있지. 이 창문은 몇 사람이 힘을 다해 들어올리려고 했으나 꼼짝도 하지 않았다네. 창틀 왼쪽에 송곳으로 뚫은 커다란 구멍이 있고 거기에는 커다란 못이 거의 대가리까지 박혀 있었지. 또 한쪽 창문도 조사해 보니 같은 모양의 못이 같은 형태로 박혀 있었어. 이것도 들어올리려고 안간힘을 써 보았지만 역시 꼼짝도 하지 않았지. 그래서 경찰은 범인이 이 곳으로 탈출했을 리는 없다고 단정해 버린 거야. 그리고 못을 뽑고 창문을 여는 것은 그들이 할 바가 아니라고 생각했던 거지. 하지만 나는 그 곳까지도 조사했네. 불가능하다고 보이는 것이 실은 그렇지 않을 때가 많다는 사실을 알고 있기 때문이지."

나는 점점 더 호기심이 발동하여 열심히 뒤팽의 말에 귀를 기울였다.

"내 생각엔, 범인은 두 창문 중의 어느 한쪽으로 도망친 것이 틀림없다고 여겨졌어. 그렇긴 하지만 분명히 창틀은 고정되어 있었어. 그렇다면 창문에는 자동적으로 고정되는 장치가 있어야 한다는 결론을 내리게 되었어. 나는 장애물이 없는 쪽 창에 가서 겨우 못을 뽑아 내고 창틀을 들어올리려고 해 봤어. 생각했던 대로 역시 내 힘으로는 어쩔 도리가 없었지. 그래서 혹시 어딘가에 용수철이 숨겨져 있지 않을까 하는 생각을 갖게 되었어. 그래서 잘 찾아보니 곧 숨겨진 용수철이 발견되었지. 나는 그것을 발견하였으나 그것을 작동시켜 창틀을 들어올려 보는 일까지는 하지 않았네."

"왜 그런 거야?"

내가 물었다.

"그것을 발견한 것만으로도 충분했으니까. 나는 못을 본래대로 박고 자세히 바라보았지. 그리고 이런 결론을 내렸어. '이 창문으로 나간 인간은 창문을 닫을 수도 있었을 것이며, 용수철도 걸렸을 것이다. 그러나 도저히 못을 제자리에 다시 꽂아 넣을 수는 없었을 것이다.' 하고 말일세. 결론은 명백하며 나의 조사 범위는 또다시 좁혀졌네. 범인은 다른 쪽 창문으로 도망쳤음이 틀림없어 보였네. 즉, 침대의 머리가 가리고 있는 창문 말일세. 그러면 양쪽 창틀의 용수철이 같다고 했을 때(아마도 같겠지만) 차이는 못에, 적어도 못이 걸리는 상태에 있음이 틀림없지. 침대 매트리스에 올라가 그 너머로 둘째 창문을 자세히 살펴보았네. 널빤지 뒤에 손을 넣어 보니 과연 용수철이 발견되었으므로 눌러 보았는데, 예상대로 그것은 옆의 창문과 똑같았네. 그래서 못을 조사해 봤어. 단단한 점에서나 거의 대가리까지 푹 박혀 있는 점이나 앞의 못과 분명히 똑같았어."

"그런데 어떻게 창문을 통해 도망쳤단 말인가?"

내가 다시 물었다.

"자네는 내가 당황했으리라고 여기고 싶겠지. 하지만 그렇게 생각한

다면 귀납법의 본질을 오해하고 있음에 틀림없네. 사냥에서 말하는 '냄새를 잃었다' 고 하는 그러한 일은 내게는 한 번도 없었어. 나는 한 순간도 냄새를 잃어 본 적이 없네. 쇠사슬의 고리는 어디에도 끊어져 있지 않았어. 비밀을 추적하여 궁극의 결과에 도달한 거지. 그리고 그 결과는 바로 '못' 이었네. 그 못이 모든 점에서 다른 한쪽 창문의 것과 꼭 닮은 건 사실이야. 그러나 나는 결정적이라고 할 수 있는 이러한 사실 앞에서도 문제 해결의 단서가 분명히 있을 것이라고 확신하였네. '이 못에 무언가 잘못이 있음이 틀림없다.' 고 말일세. 그래서 못을 쥐고 잡아당겨 보았지. 대가리에 0.6센티미터 정도의 다리가 남은 못이 쑥 빠져 나왔네. 나머지 부분은 구멍에 남아 있는 것이야. 그러니까 못다리 중간이 부러져 있었던 거야. 부러진 지 꽤 오래된 것 같았네. 왜냐하면 부러진 곳이 몹시 녹이 슬어 있었으니 말일세. 아마 쇠망치로 박았을 때의 일인 듯했어. 못대가리의 일부가 창틀 윗부분에 패어 들어가 있었으니 말야. 그리고 이번에는 대가리 부분을 본래의 구멍에 가만히 꽂아 보았어. 그러자 어떻게 되었겠나? 보기에는 완전한 못과 다름없었어. 부러진 데는 보이지 않았으니까 말일세. 용수철을 눌러 창틀을 가만히 몇 인치 들어올려 봤지. 못대가리는 구멍에 꼭 자리잡힌 채 창틀과 함께 올라갔어. 그리고 창문을 닫자 다시 완전한 하나의 못으로 보였지."

"그렇게 해서 범인이 창문을 통해 도망쳤단 말인가?"

나는 내용을 종합하여 그에게 반문하였다.

"맞아. 여기까지의 수수께끼는 풀린 셈이야. 살인자는 침대에 가려진 창문으로 도망친 거지. 범인이 나갈 때 창문이 스스로 떨어지면서(또는 일부러 닫아서) 용수철로 고정되었던 걸세. 그런데 경찰은 창문이 용수철로 고정되는 것을 못으로 고정되는 것으로 착각하여 그 이상의 탐색은 불필요하다고 생각한 거지."

"그런데 4층의 높이에서 어떻게 사람들에게 발견되지 않고 뛰어내린 단 말인가?"

나는 도저히 있을 수 없는 일이라는 듯 따져 물었다.

"그 점에 대해서는 자네와 함께 집 주위를 도는 동안에 만족할 만한 해답을 얻었네. 문제의 창문에서 1.5미터쯤 떨어진 곳에 피뢰침이 하나 걸려 있었네. 이 피뢰침에서는 누구든 창문 안으로 들어가는 것은 고사하고 창 자체에 손대는 일도 불가능했을 걸세. 하지만 나는 4층의 모든 덧문이, 파리의 목수들이 '페라드' 라고 부르는 특수한 것임을 발견했네. 요즘은 거의 찾아볼 수 없지만 리옹이나 보르도의 유서 깊은 저택에서는 흔히 볼 수 있는 것이지. 모양은 보통의 문(두 짝 문이 아닌 외짝문)과 같지만, 아래 절반이 규칙적으로 선이 있는 격자식으로 되어 있어 손으로 잡기 편리하게 되어 있지. 그런데 이 문제의 덧문들은 폭이 1미터는 충분히 되네. 우리가 집 뒤쪽에서 보았을 때 덧문은 둘 다 반쯤 열려 있었지. 말하자면 벽으로부터 직각으로 떨어져 있었다는 말일세. 아마 경찰도 나와 마찬가지로 건물 뒤쪽을 조사했겠지. 그렇지만 페라드를 정면에서 폭으로 보지 않고 길이로 보았기 때문에 폭 자체의 넓이를 못 알아보았거나, 아니면 그냥 지나쳐 버렸던 것일세. 사실 여기로 탈출한다는 건 불가능하다고 단정해 버렸으므로 자연히 이 부분의 조사가 소홀해지고 말았던 거야. 그런데 나는 침대 머리 쪽에 있던 창의 페라드를 벽면까지 힘껏 열면 피뢰침까지의 거리가 60센티미터 이내가 된다는 것을 분명히 확인했어. 게다가 아주 놀라울 정도의 운동 능력과 용기를 발휘하면, 피뢰침에서 창문으로 들어가는 일도 이러한 방식으로 가능하다고 생각했어. 페라드가 완전히 열려 있을 때, 70여 센티미터만 손을 뻗치면, 범인은 격자 세공의 부분을 꼭 잡을 수가 있었을 걸세. 그리고는 발을 단단히 벽에 대고 피뢰침 쪽의 손을 놓고 단숨에 발을 걸치면 그 여세로 페라드는 닫히는 꼴이 되며, 만약 그 때 창문이 열려 있었다면 몸 전체가 방 안으로 뛰어들 수 있었을 거라는 계산이 가능하지."

"하지만 그건 사람으로서는 불가능한 행동일세."

내가 반박했다.

"맞아. 그토록 위험하고 어려운 곡예를 성공적으로 수행하기 위해서는 아주 놀라울 정도의 운동 신경을 갖추어야만 할 걸세. 내가 이렇게 자네에게 말하는 것은, 이러한 일이 불가능한 것이 아니라는 점을 얘기하기 위해서이고, 또한 실은 이것이 제일 중요하긴 하지만, 그러한 짓을 해치운 초자연적인 민첩함을 자네 마음속에 깊이 심어 주고 싶은 것일세."

"그것이 왜 필요하단 말인가?"

내가 되물었다.

"'아주 놀라울 정도의' 운동 능력과, '어느 나라의 말인지 분명치 않은, 아주 기괴하게 날카롭고 귀에 거슬릴 정도로 거칠고 높낮이가 일정치 않은 음성', 이 두 가지를 자네로 하여금 결부시켜 생각하게 하려는 것일세."

뒤팽의 이 말을 듣자, 막연하게나마 어떤 추측이 얼핏 내 머리를 스쳤다. 나는 그가 말하는 의도를 이해할 수 있는 단계에 올라온 듯싶었으나, 아직도 완전히 이해가 되질 않았다. 마치 사람들이 종종 기억이 날 듯하면서도 끝내 기억이 나지 않는 그런 경우를 당하는 것처럼…….

뒤팽은 자신의 말을 계속했다.

"내가 문제를 탈출 방법에서 침입 방법으로 바꾼 의도는 자네도 알 거야. 그것은 말야, 둘 다 같은 방법, 같은 장소를 이용해서 행해졌다는 사실을 분명히 하자는 데 있지. 이제 방 안으로 눈을 돌려보세. 장롱 안에는 많은 옷가지가 그대로 남아 있기는 했지만 일부 없어졌다고 했네. 하지만 이러한 결론은 불합리해. 그것은 단순한 추측, 그것도 아주 어리석은 추측에 지나지 않아. 서랍에서 발견된 물건이 원래 거기에 있었던 물건의 전부가 아니라는 증거가 도대체 어디에 있단 말인가? 레스파네 모녀는 극도로 은둔적인 생활을 하고 있었네. 사귀는 사람도 없었고 좀처럼 외출도 하지 않았으니 갈아입을 옷도 그렇게 많이 필요하지 않았을 거야. 내가 보기에 그 방에서 발견된 물건들은 이런 은둔적인 여인들이 지닐 수 있는 양으로는 충분했네. 만약 범인이 물건을 갖고 갔다면 왜 가장 좋은 것은 가져가지 않았을까? 무엇보다 말이야, 귀찮은 옷가지를 한아름이나 갖고 가면서 왜 4천 프랑의 금화는 내버려 두고 갔단 말인가? 황금을 내버렸단 말일세. 은행가인 미뇨 씨가 말했던 금액의 거의 전부가 그대로 방바닥에 뒹굴고 있었단 말이야."

"맞아."

나는 고개를 끄덕이며 맞장구를 쳤다. 뒤팽의 다음 말이 몹시 기다려졌다.

"따라서 돈을 집 입구에서 직접 전했다는 증언이 경찰의 머릿속에 박히게 된 그 '동기'라는 그릇된 생각을 자네 머리에서 깨끗이 추방해 버리게. 이 세상에는 은행에서 돈을 찾은 지 사흘도 못 되어 살해되었다는 것 같은 우연의 일치보다 열 배나 드문 우연의 일치가 한 사람의 일생 동안 한 번 정도는 발생하고 있다네. 전혀 관심을 끌지도 못하면서 말일세. 만약 이번 경우에 금화가 분실되었다면, 사흘 전에 돈이 전달되었다는 사실은 우연의 일치 이상이 되었을 것일세. 즉, 동기를 뒷받침하는 것이 되었을 테지. 만약 이 흉악한 범죄의 동기가 돈이었다고 가정하면, 범인은 돈과 범행 동기를 다 함께 포기해 버릴 만큼 우유부단한 바보였다는 상상도 함께 하지 않을 수 없겠지."

"그렇다면 범행의 동기가 무엇이었단 말인가?"

내가 답답하여 물었다.

"내가 계속해서 자네에게 강조한 것들, 즉 기괴한 음성, 놀라운 민첩성, 그리고 이토록 흉악한 살인 사건치고는 묘할 만큼 용기가 결여되어 있다는 점들을 계속 염두에 두면서 흉악한 행위 그 자체를 살펴보도록 하게."

뒤팽은 계속해서 말을 이었다.

"한 여자가 난폭하게 살해된 다음, 굴뚝에 거꾸로 쑤셔박혀 있었네. 보통의 살인범이라면 이런 식의 살인 방법은 쓰지 않네. 적어도 시체를 이런 식으로 처리하는 일은 없을 거야. 시체를 굴뚝 속으로 쑤셔박은 그 방법에는 '너무도 극단적인' 그 무엇이, 인간의 행위에 대한 우리의 통념과는 전혀 맞지 않는 무엇이 있다는 것을 자네도 인정할 걸세. 아무리 우리가 생각할 수 있는 가장 잔인무도한 인간이라도 말일세. 또 생각해 보게. 여러 사람이 힘을 합하여 겨우 끌어내렸을 만큼 좁은 구멍 속으로 시체를 억지로 쑤셔 올린 힘이라면 도대체 얼마나 엄청난 힘이었을까를 말일세."

"으음……."

나는 뒤팽의 논리 정연함에 감탄할 수밖에 없었다.

"이번에는 이 놀라운 힘이 다른 곳에 쓰인 증거를 찾아보세. 난로 위에는 사람의 잿빛 머리털의 굵은 뭉치가 있었네. 꽤 굵은 뭉치였는데 뿌리째 뽑힌 것이었네. 20, 30개의 머리카락이라도 머리에서 이렇게 뽑아 내려면 얼마만한 힘이 필요할지 자네도 알 거야. 문제의 머리털 뭉치를 자네도 보았겠지? 소름이 끼치게도 그 뿌리 끝에는 머리의 살

점이 더덕더덕 들러붙어 있었네. 그것은 단번에 몇 십만 개나 되는 머리털을 잡아뜯는 데 발휘된 엄청난 힘을 명백히 보여 주는 증거지. 또한 노부인의 목은 단순히 부러진 것이 아니라, 머리가 몸통에서 완전히 분리되어 있었네."

나는 다시 한 번 잔인한 사건의 현장을 떠올리고는 몸서리를 쳤다.

"그런데 그 흉기라는 것이 보통의 면도칼에 지나지 않았어. 이 행위의 '야수적' 잔인성을 다시 한 번 유의해 주기 바라네. 또 레스파네 부인의 시체의 타박상에 대해 뒤마 씨와 그의 유능한 조수 에티엔 씨는 둔기에 의한 타박상으로 단정짓고 있네. 물론 두 사람의 의견은 아주 정확하네. 그런데 그 둔기라는 것이 뒤뜰에 깔린 돌에 지나지 않았어. 희생자는 침대에서 내려다보이는 창문에서 그리로 떨어졌던 거지. 그런데도 경찰들은 아무것도 알아 내지 못했어. 이것 역시 닫힌 사고방식 때문이었어. 즉, 못에 문제가 있어 창문이 열린 적이 있을지도 모른다는 데 대하여 그 사람들의 머리가 완고하게 닫혀 있었기 때문이지."

"그러면 대체 범인은 누구란 말인가?"

답답해진 나는 다시 한 번 물었다.

"이런 사실들에 덧붙여 방 안이 유별나게 흐트러져 있던 점을 제대로 관찰했다면, 이미 우리는 놀라운 민첩성, 초인적인 힘, 야수적인 잔인성, 동기 없는 살인, 인간적인 것과는 완전히 이질적인 소름끼치는 기괴함, 많은 나라 사람들의 귀에 한결같이 이국적인 억양이었고, 의미를 알 수 있을 만한 소리라곤 전혀 없었던 점, 이상의 모든 것을 연결시킬 수 있는 단계에 이르렀네. 그럼 어떠한 결론이 나올까? 이제까지의 내 말에서 자네는 어떤 결론을 얻었나?"

순간 나는 등골이 오싹해짐을 느꼈다.

"미친놈의 소행이군. 근처의 정신 병원에서 도망쳐 나온 흉악범이야!"

내가 대답했다.

그러자 뒤팽이 말했다.

"어떤 점에서는 자네 생각도 틀리지 않아. 그러나 미치광이라도 어느 한 나라의 인간이며, 비록 말하고 있는 내용은 엉터리더라도 말소리는 정확한 법이야. 게다가 아무리 미치광이라도 머리털까지 다를 수는 없지 않나? 내가 레스파네 부인이 꽉 쥐고 있던 것을 조금 빼 왔는데, 자네 눈에는 이것이 뭘로 보이나?"

나는 뒤팽의 손에 쥐어진 털을 보고 깜짝 놀라 소리질렀다.

"뒤팽! 이건 인간의 털이 아니야."

"맞아. 그 전에 내가 해 놓은 스케치를 좀 보게나. 증언에서 레스파네 양의 목에 '검은 타박상과 깊은 손톱 자국' 이라는 부분이 있었지. 그리고 뒤마 씨와 에티엔의 증언에서 '분명히 손가락으로 눌린 자국으로 여겨지는 일련의 검붉은 점' 이라는 부분이 있었네. 이건 그 부분의 스케치야."

뒤팽은 테이블에 종이를 펼치면서 말했다.

"이 그림에서 보면 상당히 센 힘으로 꽉 쥔 것을 알 수 있네. 어느 손가락도 미끄러진 흔적은 없어. 아마도 피해자가 죽을 때까지 처음 가해진 무서운 힘으로 계속 꽉 쥐고 있었던 거야. 자네 한 번 손가락을 전부 동시에 이 손톱 자국에 똑바로 대 보게."

나는 해 보았으나 도저히 무리였다.

"어쩌면 이것은 올바른 방법이 아닐지도 모르지."

하고 뒤팽이 말했다.

"종이는 평면상에 펼쳐져 있다. 그런데 인간의 목은 원통형이다. 여

기 장작이 하나 있네. 굵기도 바로 목 굵기 정도야. 종이를 그것에 감아 다시 한 번 해 보게."

나는 그대로 해 보았으나 아까보다도 더 어려웠다.

"이것은 사람의 손톱 자국이 아닐세."

내가 결론을 내리듯이 말했다.

"그럼 퀴비에가 쓴 이 책의 이 부분을 읽어 보게."
하고 뒤팽이 말했다.

뒤팽이 내민 책에는 동인도 제도에 서식하는 거대한 황갈색 오랑우탄의 해부학적, 생태학적 특징이 씌어 있었다. 이 포유류의 거대한 체격, 놀라운 힘, 운동 능력, 잔인성, 모방벽 등이 자세하게 씌어 있었다.

나는 이 살인 사건의 전모를 금세 이해하게 되었다.

"손가락에 대한 내용은 이 스케치와 정확히 일치하는군. 여기에 씌어 있는 오랑우탄 이외의 어떤 동물도 자네가 베껴 온 것과 같은 움푹 팬 구멍을 만들 수는 없을 걸세. 게다가 이 황갈색 털도 퀴비에의 책에 있는 동물의 것과 같은 것이야. 그러나 이 깜짝 놀랄 만한 사건의 원인은 아직 잘 이해되지 않네. 더구나 두 사람이 말다툼하는 소리가 났고, 그 중 한 사람은 분명히 프랑스 인의 소리였다고 하지 않았는가?"

내가 뒤팽에게 물었다.

"그렇지. 그리고 자네도 기억하고 있겠지만, 대부분의 증인이 모두 똑같이 들은 말은 '지독한 놈!' 이란 말이었어. 제과점 주인 몬타니는 이 말투가 꾸짖는 듯, 달래는 듯한 어조였다고 증언했어. 따라서 나는 '지독한 놈!' 이란 두 마디에 이 사건을 완전히 해결할 희망을 걸어 왔던 걸세."

나는 아직도 뒤팽의 말이 이해되질 않아 고개를 갸우뚱했다.

"한 사람의 프랑스 인이 이 살인을 알고 있었네. 어쩌면 그는 그 참혹한 행위 중 어느 하나도 저지르지 않았을지도 몰라. 아마도 기르고 있던 오랑우탄이 그에게서 도망쳤을 거야. 그 남자는 오랑우탄을 그 방까지 쫓아갔겠지. 그런데 그러한 소동이 벌어졌으므로 다시 붙잡을 수가 없었을 걸세. 오랑우탄은 아직도 잡히지 않았네. 그러나 이런 추측은 이제 그만두기로 하세. 확실한 증거가 없는 추측은 어디까지나 추측일 뿐이니까."

"그럼 어떻게 사건을 해결한다는 말인가?"

"만약 문제의 프랑스 인이 이 흉악한 사건과 정말로 무관하다면, 우리가 어젯밤 집으로 돌아오던 길에 《르 모드》(해운업계 신문)의 사옥에 들러 의뢰하고 온 광고를 보고 이리로 찾아올 걸세."

뒤팽은 나에게 신문을 넘겨 주었다. 그 광고에는 이렇게 씌어 있었다.

> 포획물——황갈색 보르네오 종 오랑우탄. 이 달 ××일 이른 아침(사건이 있었던 날 아침) 불로뉴 숲에서 포획. 소유주(몰타 섬 소속 선박의 선원으로 추정됨)에게 돌려주겠음. 단 오랑우탄이 자기 소유임을 확실히 증명하고 포획 및 보관에 관한 약간의 비용을 지불할 것. 포부르 생 제르맹 ××가 ××번지, 3층으로 찾아오기 바람.

"어떻게 해서 그 남자가 선원이며, 게다가 몰타 섬의 배 승무원이라는 걸 알았지?"

내가 의아해하며 물었다.

"나도 확실히 알고 있는 건 아니네. 하지만 여기 리본 조각이 하나 있는데, 그 모양이나 기름이 스며 있는 점이 아무리 봐도 선원들이 변

발을 묶는 데 즐겨 쓰는 것이야. 게다가 이렇게 매는 방법은 뱃사람 외에는 좀처럼 없고, 더구나 몰타 섬의 독특한 것일세. 리본은 피뢰침 밑에서 주웠고, 피해자의 것이 아님은 확실해. 그런데 이 리본에서 그 프랑스 인이 몰타 섬의 배 승무원이라고 추정한 것이 잘못이라고 해도 광고에 그렇게 써 두어 안 될 건 전혀 없지. 비록 추측이 틀리더라도 상대는 이쪽이 무슨 사정으로 잘못 생각하고 있다고 여길 뿐, 일부러 그러한 사정을 캐 내려고는 하지 않을 테니까."

"하지만 그 남자가 과연 찾아올까?"

"당연히 그 남자는 오랑우탄을 찾으러 오는 걸 주저할 거야. 아마도 이렇게 생각할 거야. '나는 죄가 없다. 오랑우탄은 값진 물건으로, 나에게는 큰 재산이다. 위험한 생각만 자꾸 해서 큰돈을 헛되이 잃을 수는 없다. 곧 손에 넣을 판인데? 놈은 불로뉴 숲에서 잡혔다. 살인 현장과는 꽤 멀다. 설마 누가 오랑우탄이 살인을 저질렀을 거라고 생각할 것인가? 경찰도 이미 단념하고 있는 사건이다. 또한 나는 이미 알려져 있어. 광고를 낸 사람은 나를 그 짐승의 소유주라고 했다. 광고주가 나에 대해 어느 정도 알고 있는지는 알 수 없으나, 내가 소유주로 알려진 마당에 값진 재산을 인수하러 가지 않는다면, 적어도 그 짐승에게 혐의를 걸어 달라고 말하는 것과 같다. 나나 오랑우탄이 의심받는 건 이로운 일이 아니야. 광고에 응하여 오랑우탄을 찾아와 사건의 관심이 식을 때까지 가만히 숨겨 두는 것이 좋을 것 같아.' 하고 말이야."

이 때 계단에서 발소리가 났다.

"권총을 준비하게."

뒤팽이 급히 말했다.

"단지 내가 신호를 보낼 때까지는 총을 쏘든지 보여서는 안 돼."

현관문은 열려 있었으므로, 방문객은 벨을 울리지 않고 들어와 몇 계단을 올라오기 시작했다. 그러나 잠깐 머뭇거리다가 다시 내려가는 발소리가 들렸다.

그러자 뒤팽이 급히 문 앞으로 갔다. 그러나 금세 다시 올라오는 소리가 났다. 이번에는 주저하지 않고 단번에 올라와 방문을 두드렸다.

"들어오시오."

뒤팽은 쾌활하고 친근감이 어린 어조로 말했다.

잠시 후에 한 남자가 들어왔다.

분명히 선원인 것 같았다. 키가 크고 단단한 근육질의 사나이로 경박해 보이는 듯한 얼굴이었으나, 사교성이 없어 보이지는 않았다. 볕에 몹시 그은 얼굴은 절반 이상이 구레나룻과 콧수염으로 덮여 있었다.

한 손에 커다란 막대기를 쥐고 있을 뿐, 별다른 무기는 가지고 있지 않았다.

"안녕하세요?"

그는 머리를 숙여 무뚝뚝한 프랑스 어로 인사했다.

사투리가 섞여 있었으나, 파리 태생임을 알 수 있었다.

"앉으세요."

뒤팽이 친절하게 말했다.

"오랑우탄 일로 오셨지요? 너무 훌륭한 동물을 가지고 계셔서 부러울 정도입니다. 상당히 비싸겠던데, 지금 몇 살쯤 되었습니까?"

"잘 모르겠지만, 기껏해야 너덧 살 정도겠지요. 그 녀석, 여기 있습니까?"

비로소 선원은 환하게 웃으며 안심하는 표정을 지었다.

"아니에요. 여기에는 사육할 시설이 없어서, 뒤부르 거리에 있는 우리를 빌려 넣어 두었소. 바로 이 근처입니다. 내일 아침에 데려다 주겠소. 그런데 당신이 소유주라는 것을 증명할 수 있습니까?"
"네, 그렇고말고요."
"내놓으려니 좀 아까운 생각이 드는데요."
뒤팽이 말했다.
"물론 공짜로 돌려받고 싶은 마음은 없습니다. 무리한 요구만 아니면 그놈을 잡아 주신 보답은 기꺼이 해 드리겠습니다."
선원이 말했다.
"정말 훌륭한 생각이군요. 뭘 받기로 할까요? 응, 그렇지. 모르그 거리의 살인 사건에 대해 당신이 알고 있는 정보를 모두 받기로 할까요?"
뒤팽은 마지막 말을 극히 낮은 어조로 천천히 말한 다음, 문 쪽으로 걸어가 자물쇠를 잠그고 열쇠를 호주머니에 넣었다. 그리고는 품 속에서 권총을 꺼내어 태연하게 테이블 위에 놓았다.
선원은 갑작스러운 사태에 당황하여 얼굴이 벌겋게 달아올랐다.
선원은 순간 자리에서 벌떡 일어나더니 막대기를 움켜쥐었다. 그러나 다음 순간 의자에 털썩 주저앉아 부들부들 떨기 시작했다. 얼굴이 하얗게 질리며 한 마디도 하지 못했다.
일이 이렇게 되자 나는 선원이 가엾게 여겨졌다.
"그렇게 떨 필요는 없어요."
뒤팽이 부드러운 목소리로 말했다.
"우리는 당신에게 해를 끼칠 생각이 손톱만큼도 없소. 신사로서, 프랑스 인으로서 맹세하지요. 나는 당신이 모르그 거리의 흉악한 범죄를 저지르지 않았다는 사실을 잘 알고 있소. 하지만 당신이 그 사건과 전혀 관계가 없다고 말해도 소용없소. 이 정도 말했으니 당신도 눈치챘겠지만, 나는 이 사건에 대해서 많은 정보망을 갖고 있소. 당신은 상상도 못할 만큼 말이오."

그 남자는 여전히 두려움에 떨고 있었다.

"나는 그 사건에서 당신이 좋아서 한 일은 하나도 없다는 걸 알고 있소. 당신은 죄가 될 만한 일은 무엇 하나 저지르지 않았소. 도둑질도 하지 않았소. 벌받지 않고 물건을 훔칠 수 있었는데도 말이오. 그러니 감출 건 아무것도 없소. 하지만 당신은 알고 있는 것을 모조리 자백할 의무가 있으며, 그것은 당신의 명예와 관련이 있소. 당신이 범인에 대해 바른대로 말하지 않으면, 지금 무고한 젊은이가 대신 벌을 받을 것이오."

뒤팽이 차분하게 말을 이어가자, 선원은 점차 마음의 평온을 회복하고 있었다.

잠시 후에 선원이 입을 열었다.

"제기랄! 말하죠. 이 사건에 대해 제가 알고 있는 사실을 모조리 말하겠습니다. 하지만 여러분은 제가 말하는 것의 절반도 믿지 못하실 겁니다. 믿어 주길 바란다면 제가 어리석은 놈이겠죠. 하지만 한 가지 확실한 건 저는 아무 죄도 없다는 사실입니다. 그 일 때문에 제가 죽는다 해도 좋으니 속시원히 털어놓겠습니다."

선원의 얘기를 정리하면 다음과 같다.

그는 최근 인도네시아를 항해하고 돌아왔다. 그는 일행과 함께 보르네오 섬에 상륙하여 숲 속 깊은 곳까지 놀이를 겸한 탐험에 나섰다. 그리고 친한 친구와 함께 숲 속에서 그 오랑우탄을 잡았다. 그런데 그 친구가 죽었으므로 자연히 오랑우탄은 혼자만의 것이 되었다.

돌아오는 길에 오랑우탄이 이따금 감당할 수 없을 정도의 흉포성을 드러내어 아주 애를 먹었는데, 그럭저럭 무사히 파리의 집까지 끌고 올

수 있었다. 주변 사람들이 이상한 눈으로 보는 것이 싫었으므로 그는 오랑우탄을 숨겨 두었다. 그래서 그놈이 발에 가시가 박혀 생긴 상처가 나을 때까지 기다렸다가 팔아치울 계획이었다.

살인 사건이 있었던 날 새벽, 동료들과 한바탕 거나하게 마시고 난 뒤 집에 돌아와 보니, 그 짐승이 그의 침실에 들어와 있었다. 옆의 작은 방에 꼭 가둬 두었는데, 그걸 부수고 침실에 들어와 있었던 것이다. 면도칼을 손에 쥔 채 얼굴 전체가 비누거품투성이가 되어 거울 앞에 앉아 수염을 깎으려는 듯했다. 그놈은 주인이 그렇게 하는 것을 이전부터 옆방 열쇠 구멍을 통해 엿보아 왔던 것이다.

이런 위험한 도구를, 이렇게 흉포하고, 게다가 그것을 교묘히 다룰 줄 아는 동물이 가지고 있는 것을 보고 선원은 당황하였다. 그는 잠시 동안 어쩔 줄 모르고 그대로 있었다.

하지만 이 짐승이 아무리 사납게 날뛸 때에도 회초리를 사용하면 온순해졌으므로, 선원은 이번에도 그렇게 하려고 했다. 그런데 회초리를 본 오랑우탄은 방에서 뛰쳐나갔다. 계단을 뛰어내려가다가, 공교롭게도 열려 있던 한 창문으로 해서 밖으로 달아나고 말았다.

이 선원은 초조한 마음으로 열심히 뒤를 쫓았다. 그 짐승은 여전히 면도칼을 손에 쥔 채 가끔 멈춰 서서 추적자에게 어서 오란 듯이 손짓을 하며 잡힐 듯하면 또 달아났다. 이런 행동은 계속해서 되풀이되었다.

때는 이미 새벽 3시, 거리는 고요했다.

모르그 거리 뒤쪽 샛길로 접어들었을 때, 쫓기고 있던 오랑우탄은 레스파네 부인의 집 4층 방의 열려 있는 창문에서 새어 나오는 불빛을 보았다. 건물에 다가가서 피뢰침을 발견하자 믿어지지 않을 정도의 민첩한 동작으로 기어올라갔다. 그러더니 벽에 딱 붙을 정도로 활짝 열려진 페라드를 붙잡고 그것에 매달려 서는 반동을 이용하여 바로 침대 머리

판자 쪽으로 뛰어들었다. 이 놀라운 곡예에 걸린 시간은 채 1분도 걸리지 않았다. 오랑우탄이 방 안으로 사라지자 페라드는 반동으로 다시 열렸다.

선원은 안심하기도 했으나 한편으로는 난처하게 되었다고 생각했다. 안심한 것은 이번에야말로 틀림없이 잡을 수 있다고 생각했기 때문인데, 그것은 그놈이 보기 좋게 뛰어든 함정에서 도망치는 길은 피뢰침 이외에는 없으므로 거기를 내려올 때 잡으면 되리라는 계산에서였다.

하지만 이 짐승이 집 안에서 무슨 짓을 저지를지 몹시 걱정되었다. 선원은 안절부절못하고 계속 짐승의 뒤를 쫓았다.

피뢰침을 오르는 것 정도는 선원한테는 쉬운 일이었다. 그러나 창문으로 들여다볼 수 있는 높이까지 올라갔을 때 그의 움직임은 뚝 멈췄다. 몸을 앞으로 숙여 힐끗 방 안을 들여다보던 선원은 너무나 놀란 나

머지 손의 힘이 빠져 자칫하면 떨어질 뻔했다.

모르그 거리 주민의 잠을 깨운 그 무서운 비명이 밤의 고요를 깨뜨린 건 바로 그 때였다.

레스파네 부인과 딸은 나이트 가운을 걸치고 철제 금고를 방바닥에 꺼내 놓고 서류 정리를 하고 있었다. 금고는 열려 있었고, 그 안의 물건은 방바닥에 놓여 있었다.

희생자들은 창을 등지고 앉아 있어서, 짐승이 들어온 사실을 곧바로 눈치채지 못했던 모양이다. 이 점은 짐승이 침입한 때부터 비명 소리가 나기까지 꽤 시간이 흐른 것으로 미루어 알 수 있다. 페라드가 타닥거리는 소리도 바람 탓으로만 여기고 마음에 두지 않았을 것이다.

선원이 들여다보았을 때, 거대한 짐승은 갓 빗어 흘러내린 레스파네 부인의 머리털을 쥐고 이발사가 하듯이 면도칼을 휘두르고 있었다. 딸은 쓰러져 꼼짝도 하지 않았다. 실신해 있었던 것이다. 노부인이 비명을 지르고 몸부림을 치는 동안에 머리털이 뽑혔다.

오랑우탄은 처음에는 별로 악의가 없었겠지만, 마침내 정말로 화를 내기 시작했다. 그 강력한 팔을 힘껏 한 번 휘두르자 그녀의 머리의 대부분이 몸통에서 떨어져 나갔다.

피를 본 짐승의 분노는 광기로 변했다.

이빨을 갈고 눈에서 불을 내뿜으며 딸의 몸을 덮쳐 그 무서운 손톱을 딸의 목에 깊이 박고, 숨이 끊어질 때까지 놓으려 하지 않았다.

이 때 그놈의 번득이는 광포한 눈이 침대 머리 쪽을 향했다. 그 위쪽에 공포에 질린 주인의 얼굴이 힐끗 보였다. 순간, 짐승은 공포의 회초리가 생각났다. 매를 맞을 만한 짓을 했다고 알아차린 짐승은 광란 상태로 방 안을 날뛰고 돌아다니며 가구를 팽개치고 두들겨 부수고 침대에 있는 침구를 마구 잡아 끌어냈다. 결국은 딸의 상체를 움켜쥐더니, 발견되었을 때의 모양으로 굴뚝 속에 쑤셔 넣은 다음, 노부인의 시체를 창문 밖으로 거꾸로 내던졌다.

짐승이 마구 찢어진 시체를 안고 창문에 다가왔을 때 선원은 혼비백산하여 피뢰침 쪽으로 피신하였고, 그 뒤부터는 내려간다기보다는 미끄러지듯이 떨어져 뒤도 돌아보지 않고 집으로 도망쳐 돌아왔다.

선원은 이 흉악한 살인에 놀라고 공포에 질려 오랑우탄의 운명 따위는 전혀 신경쓸 겨를이 없었다. 또한 오랑우탄의 주인이 자기라는 사실이 세상에 알려지면 어떻게 될지도 두려웠다.

일행이 계단에서 들었던 소리는 이 짐승의 악귀 같은 고함 소리에 뒤섞인 프랑스 인의 공포와 경악의 비명 소리였던 것이다.

여기에 덧붙일 이야기는 없다.

오랑우탄은 그 방문이 부서지기 직전 피뢰침을 타고 내려와 도망쳤을 것이다. 창문을 빠져 나와 창문을 닫고 갔음이 틀림없다.

오랑우탄은 그 후 그 프랑스 선원의 손에 잡혀서 자르댕 데 플랑테 동물원에 상당한 액수에 팔렸다.

경시청 총감실에서 우리가 일체의 경위를 이야기하자, 르 봉은 즉각 석방되었다. 경시총감은 뒤팽에게 호의를 품고 있었으나, 사건이 이렇게 해결된 것이 불쾌했던지 쓸데없는 참견은 금물이라는 따위의 싫은 소리를 한두 마디 지껄였다.

"내버려둬."

뒤팽이 말했다. 뒤팽은 경시총감의 반응에 대꾸할 가치를 느끼지 못하고 있었던 것이다.

"그렇게 해서 속이 풀린다면 실컷 떠들라고 해. 그 작자가 사건 해결에 실패한 것은 생각의 깊이가 모자랐기 때문이야. 경시총감은 생각이 지나치게 노련한 것이 오히려 사건을 깊이 있게 보지 못하게 만들지. 하지만 그는 좋은 남자야. 특히 그가 별것 아닌 일에 뻔뻔스럽게 거드름을 피우며 지껄이는 폼이 마음에 들어. 그런 수완으로, 즉 있는 것을 부정하고 없는 것을 설명하는 수완으로 명성을 얻고 있으니 말이야."

마리 로제의 비밀

——〈모르그 가의 살인 사건〉의 속편

레스파네 부인과 그 딸의 죽음에 얽힌 참극이 결말나자, 뒤팽은 그 사건을 깨끗이 잊어버리고 다시 원래의 버릇대로 몽상에 빠져 들어갔다. 나 역시 그의 기분에 이끌려 몽상의 세계에 젖어들었다.

우리 두 사람은 줄곧 집을 지키면서, 주위의 따분한 세계를 꿈으로 엮어 나가고 있었다.

그러나 이러한 생활이 전혀 방해를 받지 않는 건 아니었다.

모르그 거리의 살인 사건에서 뒤팽이 해낸 역할이 파리 경찰들의 마음속에 깊은 인상을 심어 주었으리라는 건 누구나 쉽게 짐작할 수 있을 것이다. 경찰들은 뒤팽의 이름을 입버릇처럼 떠올렸다.

뒤팽은 그 미스터리를 해결한 귀납적 추리의 단순성에 대해서 나 이외의 어느 누구에게도, 심지어 경시총감에게도 설명해 주지 않았던만큼, 그 일은 기적과 다름없는 것으로 여겨졌다.

이런 이유로 뒤팽은 경찰들의 관심의 대상이 되어, 경시청에서 그의 협력을 얻으려고 하는 사건이 한두 가지가 아니었다. 그 중 가장 대표적인 것이 마리 로제라는 젊은 여인의 살인 사건이었다.

이 사건은 '모르그 거리의 참극'이 있은 지 약 2년 후에 일어났다.

마리 로제는 에스테르 로제라는 과부의 외동딸이었다. 아버지는 이

딸이 갓난아기일 때에 죽었고, 그로부터 이 살인 사건이 발생하기 18개월 전까지 두 모녀는 파비 생앙드레 거리에서 하숙을 치며 살았다.

마리가 스물두 살이 되었을 때, 그녀의 굉장한 미모는 팔레 루아얄에 가게를 가지고 있는 한 향수 장수의 눈길을 끌었다. 이 남자의 단골은 주로 부근에서 활동하는 막된 사기꾼들이었다. 어쨌든 향수 장수 르 블랑 씨는 자기 가게에 아름다운 마리를 두면 얼마나 이익이 되는지 훤히 알고 있었다. 그래서 보수를 후하게 준다는 조건으로 마리에게 함께 일하자고 제의했다. 어머니는 어쩐지 마음이 내키지 않아 주저했으나 마리는 흔쾌히 받아들였다.

향수 장수의 예상은 적중하여, 그의 가게는 젊고 아름다운 여점원의 매력으로 말미암아 금세 유명해졌다.

그런데 마리가 가게에서 일을 한 지 1년쯤 되었을 때, 갑자기 모습을 감추었다. 이에 그녀의 숭모자들은 당황했다. 르 블랑 씨도 그녀가 자취를 감춘 이유를 알 수 없었고, 로제 부인은 불안과 공포에 사로잡혀 정신을 잃을 지경이었다.

신문이 곧 이 사건을 다루고 경찰이 본격적인 수사에 착수하려고 할 무렵인 어느 맑게 갠 아침, 마리가 건강한 모습으로, 그러나 다소 슬픈 빛을 띤 얼굴로 향수 가게 카운터에 다시 모습을 나타냈다. 그래서 경찰의 조사는 곧 중지되었다.

르 블랑은 일절 아무것도 모른다고 말했으며, 마리는 어머니와 입을 모아 지난주 내내 시골 친척집에 가 있었다고 대답했다.

이렇게 해서 이 사건은 잠잠해지고 세상에서도 잊혀졌다. 그리고는 귀찮은 추궁을 피하기 위해서인지 마리는 향수 가게를 그만두고, 다시 파비 생앙드레 거리의 어머니 집에서 살게 되었다.

그런데 집으로 돌아온 지 3년 가량이 지나 그녀는 또다시 자취를 감추어 주위 사람들을 놀라게 했다. 사흘이 지나도록 아무런 소식이 없었다. 그리고 나흘째에 그녀의 시체가 센 강의 파비 생앙드레 거리의 맞은편 기슭 언저리에 떠 있는 것이 발견되었다. 그 곳은 룰 관문의 외진 동네에서 그다지 멀지 않은 지점이었다.

이 사건은 한동안 파리 사람들의 관심의 대상이 되었다. 피해자의 젊음과 미모, 그리고 무엇보다도 그녀의 과거에 대한 소문이 파리 시민들의 마음을 크게 자극하였다.

이와 유사한 사건이 예전에도 일어났지만 이만큼 많은 사람들의 관심을 끈 적이 없었다. 파리 시민들은 수주일 동안 이 하나의 사건만을 화제로 삼았다. 경시총감 역시 특별히 관심을 기울였고, 파리의 모든 경찰이 이 사건을 해결하고자 전심 전력을 다했다.

시체가 처음 발견되었을 때만 해도 사람들은 범인이 금방 잡힐 것으로 예상하였다. 그래서 1주일이 지나기 전까지는 현상금을 걸 필요도 없을 것이라고 여겼다. 그리고 1주일이 지나 현상금을 내걸었지만 1천 프랑을 넘지 않았다.

그러나 수사가 활발히 진행되고 많은 사람들이 취조를 받았지만, 아무런 단서도 발견되지 않았다. 시간이 흘러도 이 미스터리에 관한 실마리가 하나도 발견되지 않자, 시민들의 흥분과 관심은 더 한층 고조되었다.

열흘이 지나자, 현상금의 액수를 두 배로 올리는 것이 바람직하다고 생각되었다. 그리고 마침내 아무런 단서도 얻지 못한 채 2주일이 지나고, 파리 시민이 경찰에 대해 품고 있던 반감이 폭발하여 몇 차례의 심각한 소동까지 일어났다.

당황한 경시총감은 살인범을 고발하거나, 혹은 두 사람 이상의 범인이 관련되었음이 밝혀질 경우 살인범 중 한 사람만을 고발할 경우라도

2만 프랑의 현상금을 걸기에 이르렀다. 또한 경찰은 공범일 경우, 동료를 고발하는 범죄자에 대해서는 무죄 석방한다는 약속도 잊지 않았다.

그리고 경찰의 포고문이 게시되어 있는 옆에는, 경시청이 제시한 현상금 이외에 추가로 1만 프랑을 주겠다는 시민위원회의 포고문이 걸려 있었다.

따라서 현상금의 총액이 3만 프랑에 이르게 되었는데, 이것은 피살된 여자의 사회적 신분이나 대도시에서 이와 같은 종류의 흉악 범죄가 발생하는 빈도를 생각한다면 참으로 엄청난 금액이라고 할 수 있었다.

이제 이 살인 사건의 수수께끼가 곧 풀리리라는 걸 의심하는 사람은 아무도 없었다.

그러나 용의자 체포가 한두 번 있었지만, 그 용의자들을 유죄로 단정할 만한 증거가 무엇 하나 발견되지 않았다. 그래서 용의자들은 곧바로 석방되었다.

하지만 시체 발견 후 3주일이 지나도록 단서 하나 발견하지 못한 채 세상을 떠들썩하게 만든 이 사건에 대해 뒤팽과 나는 전혀 모르고 있었다.

그 때 우리는 어떤 연구에 몰두한 나머지 거의 한 달 동안을 외출하지 않았고, 손님 한 명 찾아오지 않았기 때문이다. 신문도 중요한 정치 기사를 흘낏 훑어보는 것 이상은 읽지도 않았던 것이다.

우리가 그 살인 사건을 처음으로 듣게 된 건 집으로 찾아온 경시총감의 입을 통해서였다.

18××년 7월 13일 오후에 우리를 찾아온 경시총감은 밤늦도록 우리와 함께 앉아 있었다. 그는 범인을 잡아 내려는 자기의 모든 노력이 실패로 돌아간 데 대해 몹시 짜증이 나 있었다.

"이것은 내 명예와 체면이 달려 있는 문제야. 세상의 눈이 모두 나에게 쏠리고 있단 말이지.”

총감은 파리 인 특유의 태도로 이렇게 덧붙였다.

“이 수수께끼를 밝혀 내기 위해서라면 어떠한 희생도 감수할 거야.”

총감은 이렇게 말을 마친 다음, 뒤팽의 능력을 극찬하고는 한 가지 제안을 했다.

하지만 나로서는 그 제안 내용을 말할 필요성을 못 느끼며, 이 이야기를 전개하는 데 있어서도 반드시 필요하다고는 생각되지 않아 언급하지 않겠다.

뒤팽은 찬사는 거절했으나 그 제안은 즉시 수락했다.

뒤팽의 허락이 떨어지고 나자, 총감은 즉각 이 사건에 관한 자신의 견해를 말하기 시작했다.

그는 이따금 증거에 대해 장황한 설명을 덧붙이곤 했는데, 그 증거란 아직 우리가 모르는 것들이었다.

총감이 말을 하는 동안 나는 가끔씩 맞장구를 쳐 주었다. 하지만 뒤팽은 늘 앉는 팔걸이의자에 몸을 파묻은 채 꼼짝하지 않고 있었다. 얼핏 보면 열심히 듣고 있는 듯한 태도였다.

그러나 뒤팽은 총감의 말이 끝날 때까지 줄곧 안경을 쓰고 있었는데, 녹색의 안경 밑을 한 번 힐끗 바라본 것만으로도, 나는 그 따분한 시간 내내 소리 하나 내지 않고 푹 자고 있었음을 알 수 있었다.

다음 날 아침, 나는 경시청에 가서 지금까지 수집된 일체의 증거에 대한 보고서를 손에 넣었다. 또 각 신문사를 방문하여 이 슬픈 사건에 대한 정보를 수집하여 집으로 돌아왔다.

내가 수집한 정보를 요약하면 다음과 같다.

마리 로제는 18××년 6월 22일 일요일 아침 9시경, 파비 생앙드레 거리에 있는 어머니의 집을 나섰다. 그녀는 길에서 만난 자크 생퇴스타쉬에게 데 드로메 거리의 숙모집에서 하루 놀다 오겠다고 말했다. 데 드로메 거리는 번화한 곳으로, 센 강의 기슭에서 과히 멀지 않고, 로제 부인의 하숙에서 직선 코스로 3킬로미터 가량 떨어져 있었다.

생퇴스타쉬는 마리의 약혼자로서 이 하숙집에서 지내고 있었다. 그는 저녁때 마리를 마중 나가서 함께 집으로 돌아오기로 되어 있었다.

그런데 오후에 폭우가 내리기 시작했다. 그래서 마리가 숙모 집에서 밤을 지내리라 싶어(전에도 그랬으므로) 약속대로 마중 나갈 필요가 없으리라 여겼다. 밤이 다가올 무렵 로제 부인(나이가 70인 병약한 할머니)이 불안한 심정을 나타냈지만, 생퇴스타쉬는 별로 주의를 기울이지 않았다.

월요일이 되어서야, 마리가 데 드로메 거리에 가지 않았음이 확인되었다.

그녀로부터 아무 소식이 없는 채 하루가 지나자, 오후 늦게부터 수사가 시작되었다. 그러나 실종 후 나흘째까지는, 그녀에 관해 아무것도 확인되지 않았다.

그러다가 6월 25일인 수요일, 파비 생앙드레 거리에서 가까운 센 강가의 룰 관문 부근에서 친구 한 명과 함께 마리의 행방을 찾고 있었던 보베가, 어부들이 강물에 떠 있던 시체를 기슭으로 끌어올렸다는 소문을 들었다.

그리로 달려간 보베와 그의 친구는 한참을 확인한 끝에 시체가 마리임을 확인하였다.

마리의 얼굴은 온통 검붉은 피로 범벅이 되어 있었는데, 그 일부는 입에서 나온 피였다.

일반적으로 익사자에게서 볼 수 있는 거품은 없었다. 세포 조직의 변색도 없었다. 목의 언저리에는 타박상과 손가락 자국이 나 있었으며, 두 팔은 가슴 위에 구부린 채로 굳어져 있었다. 오른손은 꽉 쥐어져 있었고 왼손은 조금 벌어져 있었다. 왼쪽 팔목은 두 줄로 피부가 둥그렇게 벗겨져 있었는데, 그것은 두 가닥의 밧줄 자국이거나, 아니면 한 가닥의 밧줄을 두 번 감은 자국인 것 같았다. 오른쪽 손목의 일부도 심하게 벗겨지고 등도 거의 까졌는데, 특히 어깨뼈 부근이 심했다.

어부들이 시체를 끌어올릴 때 밧줄을 걸기도 했지만, 그 벗겨진 상처는 밧줄 때문에 생긴 것이 아니었다.

목줄기의 살은 몹시 부어 있었다. 베인 상처 같은 것은 보이지 않고 얻어맞은 결과로 보이는 타박상도 전혀 없었다. 하지만 단단하게 목을 감고 있는 레이스 조각이 발견되었다. 그것은 완전히 살 속에 파묻혀 있었고, 왼쪽 귀 바로 밑에서 매듭지어져 있었다. 이것만으로도 그녀를 죽이기에는 충분했을 것이다.

검시관은 사망자가 야만적인 폭행을 당해 숨진 것이라고 결론지었다.

마리의 옷은 찢어진 채로 심하게 흐트러져 있었다. 겉옷은 밑자락에서 허리 부분까지 너비 30센티미터 가량으로 찢겨 있었지만, 떨어져 나가지는 않았다. 그것은 허리를 세 바퀴 감고 등에 일종의 매듭이 지어져 있었다. 드레스는 고급 모슬린 천이었는데, 아래로 약 50센티미터 가량의 조각이 완전히 떨어져 나가 있었는데, 아주 고르게, 굉장히 꼼꼼하게 찢겨 있었다. 이 천 조각은 목둘레에 느슨하게 감긴 채 단단하게 매듭지어져 있었다. 이 모슬린 조각과 레이스 조각 위에 모자 끈이 감겨 있고, 거기에 모자가 매달려 있었다. 그런데 모자 끈을 매어 놓은 매듭은 여자용 장식 끈 형태가 아니라 '풀매듭', 즉 선원용 매듭이었다.

시체는 신원이 확인되고 나서 끌어올려진 지점에서 그리 멀지 않은 장소에 황급히 매장되었다. 보베의 노력으로 일은 되도록 비밀에 부쳐

졌으며, 그래서 며칠이 지나서야 겨우 세상에 알려지기 시작하였다.

어떤 주간 신문이 마침내 이 사건을 취급했다. 시체는 발굴되어 재검사가 실시되었지만, 이미 말한 이상의 것은 아무것도 드러나지 않았다. 옷은 사망자의 어머니와 친지들에게 보내져 확실히 아가씨가 집을 나갈 때 입었던 것으로 확인되었다.

한편, 여론은 점점 더 고조되어 갔다. 여러 사람이 체포되고 석방되었다. 생퇴스타쉬는 특히 혐의가 컸는데, 처음에 그는 마리가 집을 나간 일요일에 자기가 어디 있었는지 명확하게 대답을 하지 못했다. 아마도 충격이 너무 컸던 모양이다. 그러다가 다음 날이 되어서야 확실한 알리바이를 제출했다.

이렇게 시간은 흘러갔지만 새로운 발견은 아무것도 뒤따르지 않았다. 수많은 추측이 사라지고, 언론계에서는 새로운 문제를 제기하느라 바빴다. 제기한 내용 가운데 특히 주목을 끈 것은 마리 로제가 아직 살아 있다는 것, 즉 센 강에서 발견된 시체는 다른 여자일 거라는 의견이었다.

《레토아르》가 제기한 내용을 소개하면 다음과 같다.

마리 로제 양은 18××년 6월 22일 일요일 아침, 표면상으로는 데 드로메 거리에 살고 있는 숙모를 찾아간다는 명목으로 어머니의 집을 나섰다. 그 시간 이후 그녀의 모습을 보았다는 사람은 아무도 없다. 그녀의 자취도 소식도 전혀 없다.

하지만 6월 22일 일요일 9시 이후 마리 로제가 이 세상 사람이었다는 확실한 증거는 없지만, 그 시각까지 그녀가 살아 있었다는 추측은 할 수 있다.

수요일 낮 12시에 룰 관문의 기슭 근처에 여자의 시체가 떠 있는 것이 발견되었다. 마리 로제가 어머니의 집을 나선 지 3시간 만에 강에 던져졌다고 가정하더라도, 집을 나온 뒤 겨우 사흘밖에 지나지 않았다는 이야기가 된다.

그러나 그녀가 살해된 다음, 범인들이 한밤중이 되기 전에 시체를 강에 던질 수 있을 만큼 살해가 빨리 이루어졌다고 생각하는 건 어리석은 일이다. 이 같은 끔찍한 죄를 저지르는 자는 대낮보다는 어두운 밤을 틈타는 법이다. 따라서 강에서 발견된 시체가 확실히 마리 로제의 것이라면, 이틀 반 혹은 고작해야 사흘밖에는 물에 잠겨 있지 않았다는 결론이 나온다.

그런데 모든 경험에 비추어 볼 때 익사체나 타살된 직후 수중에 던져진 시체가 충분히 부패하여 수면에 떠오르기까지는 6일 내지 10일이 걸린다. 물 속에 잠겨 있는 최소 기한인 5, 6일이 되기 전에 시체 위로 대포를 발사하여 시체를 떠오르게 하더라도, 그대로 내버려 두면 다시 가라앉고 만다. 그렇다면 이 경우 어째서 정상에서 벗어나는 일이 생기게 되었는지, 우리는 그것을 묻고 싶다.

만일 시체가 화요일 밤까지 피살된 상태로 기슭에 방치되어 있었다면, 무언가 범인의 흔적이 기슭에서 발견되었을 것이다. 또 가령 살해된 지 이틀 후에 물 속에 던져졌다고 하더라도 그렇게 빨리 시체가 떠오른다는 건 매우 의심스럽다. 뿐만 아니라, 여기서 가정하는 것과 같은 살인을 저지른 악당이 있다면, 그들이 추도 달지 않고 시체를 강에 던져 넣었으리라고는 도저히 생각하기가 어렵다.

필자는 더 나아가, 시체는 '불과 사흘이 아닌 최소한 사흘의 다섯 배나' 물에 잠겨 있었던 것이 틀림없다고 주장했다. 왜냐하면, 보베가 그 신원을 확인하는 데 크게 애를 먹었을 만큼 시체가 부패되어 있었기 때문이다. 기사를 계속 보기로 하자.

그럼 보베 씨가 시체는 마리 로제임에 틀림없다고 말한 근거는 무엇일까? 그는 옷의 소매를 잡아 찢고 확실히 그 사람이라고 확신할 수 있는 특징을 찾아 냈다고 한다. 사람들은 대부분 그 특징이란 것이 흉터 자국 같은 것일 거라고 예상했다.

그런데 보베 씨는 팔뚝의 '털'로 시체의 신원을 확인할 수 있었다고 한다. 이렇게 이상한 말이 어디 있겠는가? 그것은 소매 속에 팔뚝이 있었다고 하는 것만큼이나 무가치한 증언이다.

보베 씨는 또한 시체가 발견된 날 저녁 7시경, 로제 부인에게 딸에 관한 조사가 아직 진행 중이라는 전갈을 보내왔다. 우리가 한 발 양보해서, 로제 부인이 노령과 슬픔 때문에 직접 갈 수 없었다고 하더라도, 만일 마리의 시체라고 생각했다면, 누군가 마리와 가까운 사람 한 명쯤은 불렀어야 했다. 그런데 그는 아무도 부르지 않고 혼자서 일을 처리했다.

파비 생앙드레 거리에서는 이 일에 관해 알고 있는 사람이 아무도 없었다. 심지어 같은 건물에 사는 사람들마저 아무 소리도 듣지 못했다. 어머니의 집에 하숙하고 있는, 마리의 애인이요 약혼자인 생퇴스타쉬씨는 이튿날 아침 보베 씨가 그의 방에 들어와 이야기할 때까지는 약혼녀의 시체가 발견된 사실조차 듣지 못했다고 한다. 이것 역시 참으로 이상한 일이다.

《레토아르》는 이런 식으로, 마리의 친지들이 시체가 마리의 것이라고 믿었다는 것과는 정반대의 주장을 펼치고자 애를 썼다. 《레토아르》가 주장하고 있는 것은 결국 이런 내용이었다.

마리는 친구들의 묵인 아래 자신의 정조에 대한 비난을 포함한 여러 가지 이유로 시에서 모습을 감추었다. 그런데 얼마 후 마리와 닮은 시체가 센 강에서 발견되자, 친구들은 그 기회를 이용하여 세상 사람들에게 그녀가 죽었다고 믿게 하려 한다는 것이다.

그러나 《레토아르》는 여기서도 결론을 너무 서둘렀다.

이 신문이 상상했던 것과는 달리, 마리의 친지들은 이 사건으로 말미암아 무척 힘들어하고 있었다. 만약 이 사건이 친지들의 동의 아래 계획된 것이었다면 어떻게 그토록 슬퍼할 수 있겠는가?

마리의 늙은 어머니는 극도로 쇠약해 있었고, 아무것도 할 수 없는 상태에 있었다. 또 생퇴스타쉬는 깊은 슬픔에 빠져 이성을 잃고 광란 상태에 빠져 있었다. 그래서 보베가 친한 집안 사람들을 시켜 그를 감시하게 하고, 발견된 시체의 조사에 입회하지 못하게 했던 것이다.

게다가 《레토아르》는 시체의 재매장이 관비로 이루어졌고, 유리한 개인 묘지의 제의가 가족들로부터 단호히 거절되었으며, 장례식에는 가족이 한 명도 참석하지 않았다고 말했다. 하지만 이것도 《레토아르》가 자신들이 전달하고자 하는 의도를 강하게 하기 위해 주장한 것에 지나지 않는다는 것이 충분히 반증되었다.

《레토아르》의 다음 호에서는 보베에게 혐의를 두고 있었다.

신문의 필자는 이렇게 말했다.

들리는 바에 의하면, B부인이라는 사람이 로제 부인의 집에 있을 때, 때마침 외출하려던 보베 씨가 경찰이 이 곳에 올지도 모르니 당신은 내가 돌아올 때까지는 아무 말도 해선 안 된다고 말했다고 한다. 현재로서는 보베 씨가 사건의 전모를 혼자 알고 있는 것 같다. 이 사건은 보베 씨 없이는 단 한 발짝도 나아갈 수가 없다. 어느 쪽으로 향하든 반드시 그와 부딪치기 때문이다. 어떠한 이유에서인지 그는 자기 이외의 누구에게도 이 사건에 일절 관여시키지 않았다. 보베 씨는 남자 친척들에게

마저 시체를 보여 주기를 몹시 꺼렸다.

이와 같이 보베에게 씌워진 혐의는 다음과 같은 사실에 의해 다소 그럴 듯해졌다.

마리의 실종 며칠 전, 보베가 없는 틈에 사무실을 찾아간 한 사람이, 방문의 열쇠 구멍에 장미꽃 한 송이가 꽂혀 있고, 근처에 매달린 메모판에 '마리'라는 이름이 새겨져 있는 것을 보았다는 것이다.

우리가 신문에서 얻어들을 수 있었던 느낌은 마리가 한 무리의 불량배들에게 희생되었다는 것이었다. 불량배들이 마리를 강 건너로 끌고 가 폭행을 가하고 죽인 것으로 여겨졌다. 그러나 광범위한 독자층을 가진 《르 커메르시에르》는 이러한 견해에 대해 반대의 입장을 나타냈다. 반대 기사의 내용을 정리하면 다음과 같다.

경찰의 수사가 룰 관문으로 쏠리고 있는 동안 수사는 방향을 잘못 잡은 것 같다. 마리처럼 얼굴이 널리 알려진 사람이 사거리를 셋이나 지나도록 아무도 본 사람이 없다는 것은 있을 수 없는 일이다. 마리를 아는 사람 누구나가 그녀에게 호기심을 갖는만큼, 누군가가 그녀를 보았다면 분명 기억에 남았을 것이다. 그녀가 집을 나섰을 때는 거리가 붐비는 시각이었다.

……. 그녀가 룰 관문이나 데 드로메 거리에 닿기까지 한 사람의 목격자도 없었다는 것은 있을 수 없는 일이다. 그런데도 그녀를 보았다는 사람이 단 한 명도 나타나지 않았으며, 그녀가 '외출 의도'를 밝혔다는 증언 외에 실제로 외출했다는 증거는 전혀 없다.

그녀의 옷은 찢겨져 몸에 감겨 있었고, 시체는 짐짝처럼 운반되었다. 살인이 룰 관문에서 저질러진 것이라면 그러한 조치는 불필요했을 것이다. 시체가 관문 부근에 떠 있었다는 사실만으로, 룰 관문 근처에서 살해되었다는 것은 증거가 되지 못한다.

……. 그 불행한 아가씨는 속옷 한 벌이 길이 60센티미터, 너비 30센티미터로 찢어지고, 그 조각이 목 부위에 둘러져 턱 밑에서 매듭지어져 있었는데, 아마도 비명을 지르지 못하도록 하기 위해서였을 것이다. 이것은 손수건을 갖고 있지 않은 자가 저질렀을 가능성이 크다.

그런데 경시총감이 우리를 방문하기 하루나 이틀 전에 어떤 중요한 정보가 경찰의 귀에 들어갔다. 그것은《르 커메르시에르》의 주장을 대부분 뒤집는 것들이었다.

드뤼크 부인의 아들들인 어린 소년 두 명이 룰 관문에서 가까운 숲속을 헤매다가 어느 깊은 풀숲으로 들어갔는데, 거기에 서너 개의 큼직한 돌이 등받이와 발판이 있는 일종의 의자 모양을 이루고 있었다. 위쪽 돌에는 흰 속치마가 널려 있었고 다른 돌에는 실크 스카프가 놓여 있었다. 파라솔과 장갑과 손수건도 있었다. 손수건에는 '마리 로제'라는 이름이 수놓아져 있었다. 근처의 가시덤불에서 옷 조각이 발견되었다. 지면이 짓밟혀 있고 관목의 가지들이 꺾여 있는 등 어느 모로 보나 격투가 벌어진 흔적이 역력했다. 그 풀숲과 강 사이의 나무 울타리는 망가져 있었고, 땅에는 무언가 무거운 것을 끌고 간 자국이 또렷이 보였다.

주간지《르 솔레유》는 이것에 대해 다음과 같은 견해를 실었는데, 이것은 파리의 모든 신문의 의견을 그대로 반영한 것에 지나지 않는다.

그 물건들은 모두 최소한 3, 4주일 전부터 그 장소에 있었던 것임에 틀림없다. 그것들은 비를 맞아서 완전히 곰팡이가 슬어 있고, 서로 들러

붙어 있었다. 근처에는 풀이 자라고 있었는데, 그 중에는 풀로 덮여 있는 것도 있었다.

파라솔의 비단천은 튼튼한 것이었으나 안쪽에는 실밥이 풀려 있었다. 두 겹으로 겹쳐져 있는 파라솔 위쪽은 곰팡이가 슬고 삭아 있어 펴는 순간 찢어지고 말았다.

……. 덤불에 걸려 찢겨진 프록코트의 천 조각들은 너비 약 8센티미터, 길이 15센티미터 가량이었다. 그 중 한 조각은 프록코트의 가장자리로서 기워져 있었으며, 다른 한 조각은 스커트의 일부분이긴 하지만 자락은 아니었다. 모두 잡아 찢겨진 조각처럼 보였는데, 지면에서 30센티미터 가량 높이에 있는 가시덤불에 걸려 있었다. ……. 따라서 이 곳이 바로 그 끔찍한 범죄의 현장이었으리라는 건 의심할 여지가 없다.

이 발견에 이어 새로운 증거가 나타났다. 드뤼크 부인은 룰 관문에 면해 있는 강둑에서 그리 멀지 않은 곳에서 술집을 경영하고 있었다. 이 부근은 외진 곳으로, 일요일이면 시내의 건달들이 보트를 타고 강을 건너온다. 그런데 문제의 일요일 오후 3시경, 얼굴빛이 검은 청년과 한 젊은 아가씨가 술집에 찾아왔다. 두 사람은 술집에서 잠시 머물렀다. 그리고 떠날 때는 부근의 무성한 숲 쪽으로 갔다.

드뤼크 부인은 아가씨가 입고 있는 옷에 눈길이 쏠렸는데, 그것은 죽은 어느 친척이 입었던 옷과 아주 비슷했기 때문이다. 특히 스카프가 눈길을 끌었다.

두 사람이 사라지고 나서 곧 한 패의 건달이 나타나 소란을 피우며 먹고 마셨다. 그러더니 계산도 치르지 않고, 좀전에 나간 청년과 아가씨가 간 방향으로 걸어갔다. 그런데 그 불량배들은 해질 무렵에 다시 술집으로 돌아와 몹시 서두르는 태도로 강을 건너갔다.

바로 이 날 저녁, 어두워지고 난 직후 드뤼크 부인과 그녀의 장남은 술집 근처에서 여자의 비명 소리를 들었다. 자지러지는 듯한 비명이었으나 곧 그쳤다.

드뤼크 부인은 덤불에서 발견된 스카프뿐만 아니라 시체에서 발견한 옷도 그녀가 입고 있던 것이라고 말했다. 또한 발랑스라는 합승 마차의 마부도 일요일에 마리 로제가 얼굴빛이 검은 청년과 함께 센 강의 나루터를 건너는 것을 보았다고 증언했다. 발랑스는 마리를 알고 있었으므로 그녀를 잘못 보았을 리가 없다. 덤불 속에서 발견된 물건들은 마리의 친척들에 의해 그녀의 것임이 충분히 확인되었다.

뒤팽의 지시에 따라 내가 각 신문에서 모은 증거와 정보는 이상의 것 외에 한 가지가 더 있었는데, 그것은 아주 중요하게 느껴지는 것이었다.

앞서 애기한 피해자의 옷가지가 발견된 직후, 마리의 약혼자인 생퇴스타쉬의 숨이 끊어진, 아니 거의 숨이 끊어질 듯한 몸뚱이가 그 풀숲에서 발견되었다는 점이다. 그의 옆에는 독약 상표가 붙은 유리병이 발견되었다.

생퇴스타쉬가 독약을 마셨음을 알 수 있었지만, 그는 끝내 한 마디 말도 없이 죽고 말았다. 그의 몸에서 편지 한 통이 나왔는데, 거기에는 자살 계획과 마리에 대한 애정이 짤막하게 적혀 있었다.

나의 메모를 다 읽고 나서 뒤팽이 말했다.

"이 사건은 모르그 거리의 사건보다 훨씬 복잡한 것일세. 하지만 모르그 거리의 사건과는 달리, 흉악하긴 하지만 예사로운 범죄야. 특별히 상식을 벗어난 점은 없어. 이러한 이유로 많은 사람들이 이 사건을 해결하기 쉬운 사건으로 여겼다는 건 자네도 알 걸세. 실은 그렇기 때문에 해결이 어렵다고 생각했어야만 하는데도 말이야. 그래서 처음엔 현상금을 내걸 필요도 없다고 생각했던 거지. 그러나 경찰은 이렇게 쉽게 여러 가지 상상을 할 수 있다는 점, 그리고 모두 아주 그럴 듯하게 보인다는 점이 바로 사건의 해결을 어렵게 만든다는 것을 놓쳤어. 그러므로 이와 같은 사건에서 당연히 품어야 할 의문은 '무엇이 일어났는가' 보다도 '전에 일어나지 않았던 그 무엇이 일어났는가' 여야 하는 걸세. 레스파네 부인의 집 수사에서는 너무나 특이한 점이 많았던 탓에 경찰들이 실망도 하고 당황하기도 했지. 하지만 이 향수 가게 아가씨의 사건은 눈에 띄는 것들이 너무도 평범한 데에 절망을 느꼈을지도 모르지."

"너무나 평범하다……."

나는 이 말을 마음속으로 되뇌었다.

"레스파네 부인과 그 딸의 경우는 우리가 수사에 착수할 때부터 이미 타살이라는 점에 아무런 의심이 없었지. 자살의 가능성은 처음부터 배제되었어. 이번의 경우 또한 처음부터 자살이 아닐까 하는 의문은 일체 배제되었어. 룰 관문에서 발견된 시체는 타살의 흔적이 뚜렷했기 때문이지. 그런데 지금은 발견된 시체가 마리 로제의 것이 아닐지도 모른다는 추측이 나돌고 있네. 현상금은 그녀의 살해범 또는 공범들에 대해 걸려 있는 것이고, 우리들이 경시총감과 맺은 계약도 이 아가씨만을 조건으로 삼고 있는 거야."

"그건 그렇지."

"자네나 나나 경시총감의 사람됨을 잘 알고 있지 않나? 그를 너무 믿어서는 안 되지. 발견된 시체부터 수사를 시작하여 범인을 규명한 결과, 이 시체가 마리 이외의 다른 사람의 것으로 밝혀질 경우, 혹은 살아 있는 마리를 발견하여 살해되지 않았음이 판명될 경우, 우리는 헛수고를 하는 셈이 되지. 따라서 시체가 실종된 마리 로제의 것인지 아닌지부터 먼저 확인해야만 하네."

"자네 말을 듣고 보니 과연 그렇군."

내가 고개를 끄덕였다.

"《레토아르》의 견해는 확실히 세상 사람들에게 영향력이 있었어. 하지만 신문이 목적하는 바는 진실을 뒤쫓는 일보다 센세이션을 불러일으키는 것임을 잊어서는 안 되네. 신문이 추구하는 진실은 센세이션을 불러일으킬 것 같은 경우뿐이지. 평범한 견해에 단순히 동조하는 신문은 그 견해가 아무리 뚜렷한 근거를 가지고 있다 할지라도 대중으로부터 좋은 평을 듣지 못하는 거야. 세상 사람들은 보통 일반적인 의견을 '신랄하게 공격하는' 사람을 생각이 깊다고 여기지."

"그런데?"

"마리 로제가 아직 살아 있다는 견해를《레토아르》가 생각해 내고 그것이 세상에서도 환영받고 있는 것은, 그 생각이 정말로 그럴듯해서라기보다는, 그 생각 속에 연극성이 뒤섞여 있기 때문일세. 이 신문의 내용을 하나하나 검토해 보세. 그래서 그 주장 가운데 앞뒤가 맞지 않은 곳이 있으면, 그것은 제외하는 거야."

"어떻게?"

"이 필자가 첫째로 노리는 바는 마리의 실종부터 시체를 발견하기까지의 시간이 짧다는 점에서 이 시체가 마리의 것이 아니라고 주장하는 것이지. 따라서 자신의 의견을 관철시키기 위해서 사건이 일어난 시간을 되도록 짧게 만들고자 노력하지. 이 목표를 뒤쫓는 데 급급한 나머지, 필자는 처음부터 한낱 가정으로 뛰어들고 말아. 그래서 '범인들이 한밤중이 되기 전에 시체를 강에 던질 수 있을 만큼 살해가 빨리 이루어질 수 있었으리라 생각하는 건 어리석은 일이다.' 고 말하고 있어. 이럴 때 우리는 곧바로 그리고 아주 자연스럽게, 왜냐고 묻게 되지. 그녀가 집을 나선 지 5분 이내에 살해되었다고 가정한들 그것이 어째서 어리석은 일인가? 그 날의 어느 시간에 살인이 자행되었다고 가정한들 그것이 어째서 어리석은 일인가 말일세. 살인은 어느 시간에나 자행되어 왔네. 그러나 일요일 오전 9시부터 밤 12시 15분 전 사이에 살해되었다 하더라도 '한밤중 이전에 시체를 강에 던질' 만큼의 시간은 충분히 있었던 셈이야. 그러므로 이 가정은 곧 일요일에는 결코 살인이 자행되지 않았다는 이야기밖엔 안 되네."

"그런데?"

"《레토아르》의 신문 기자들은 일요일의 낮이나 밤의 어느 시각에 살인이 자행되었든 간에 범인들이 한밤중 이전에 감히 시체를 강으로 운반할 엄두는 내지 못했으리라는 걸 말하고 싶었던 거야. 그리고 사실 내가 불만으로 여기는 가정이 바로 여기에 있네. 그것은 강으로 '시체를 옮기는' 일이 필요했던 장소, 그러한 상황에서 살인이 저질러졌다는 가정이지. 그런데 살인은 강가에서나 또는 강 한복판에서 자행되었을지도 모르며, 그래서 낮이나 밤의 어느 시각에라도 가장 확실하고 가장 빠른 처리 방법으로 강물에 던져졌을지도 모르는 게 아니겠나. 여기서 바로 《레토아르》의 논조가 너무 한쪽에 치우쳐져 있음을 알 수 있네."

그러면서 뒤팽은 이런 식으로 자기의 선입관에 편리한 틀을 미리 만들어 놓고, 다시 말해서 시체가 마리의 것이라고 한다면 물에 잠겨 있었던 시간이 너무도 짧다는 가정을 해 놓고 나서, 신문은 이렇게 글을 잇고 있다고 말했다.

모든 경험에 비추어 볼 때, 익사체나 타살된 직후 물 속에 던져진 시체가 충분히 부패하여 수면에 떠오르기까지는 6일 내지 10일이 걸린다.

물 속에 잠겨 있는 최소 기한인 5, 6일이 되기 전에 시체 위로 대포를 발사하여 시체가 떠오른다 해도, 그대로 내버려 두면 다시 가라앉고 만다.

뒤팽은 계속 말하였다.

"《레토아르》의 이 주장은 《르 모니테르》를 제외한 파리의 모든 신문이 받아들였지. 《르 모니테르》만은 익사한 것으로 알려진 사람들의 시체가 《레토아르》가 주장한 것보다도 짧은 시간 내에 떠오른 실례를 대여섯 가지 인용함으로써 '익사체'에 관한 부분에 대해서는 반대의 입장을 보이고 있네. 하지만 《르 모니테르》는 그 밖의 다른 주장을 펼치지 못함으로써 《레토아르》의 논조는 여전히 강력한 효력을 발휘하고 있지."

나는 계속 듣고 있었지만 과연 뒤팽이 하고자 하는 이야기가 무엇인지 감조차 잡을 수가 없었다.

"따라서 우리는 《레토아르》가 주장하는 법칙 자체에 대해서 반박해야 할 거야. 이 목적을 위해 우리는 그 법칙의 논리적 근거를 검토하지 않으면 안 되지. 그런데 인간의 몸뚱이라고 하는 건 대체적으로 센 강의 물보다 크게 가볍지도 않거니와 크게 무겁지도 않아. 즉, 자연스런 상태에서의 인체의 비중은 그것이 떠 있는 부분의 강물의 용적과 거의 같지. 일반적으로 뼈가 가늘고 살집이 좋은 여자의 몸은, 여위어 뼈가 굵은 남자의 몸보다는 가벼운 법이지. 강물 속에서라도 저절로 가라앉는 몸뚱이는 극히 드물다고 할 수 있을 걸세. 사람이 강에 빠졌을 경우에 물의 비중이 자기 몸의 비중과 균형이 잡히도록 한다면, 즉 될 수 있는 대로 일부분을 제외하고 몸 전체가 물에 잠기도록 한다면, 거의 누구나 물 위에 떠 있을 수가 있는 거야. 헤엄칠 줄 모르는 사람에게 적합한 자세는 지면을 걸을 때와 같은 직립 자세로 목을 뒤로 한껏 젖히고, 물에 잠긴 채 입과 콧구멍만 수면 위로 내놓고 있는 거지. 그렇게 하고 있으면 누구나 별로 힘들이지 않고 물에 떠 있을 수 있어. 그러나 인간의 몸과 배수된 물의 용적, 이 양자의 비중은 극히 미묘한 균형을 이루고 있으므로, 아주 조그마한 일로 어느 한쪽이 무거워질 수 있음은 분명하지. 예를 들면 한쪽 팔을 수면 밖으로 쳐들면, 그만큼 물의 부력이 없어지므로 무게가 더해져 머리 부분 전체가 물에 잠겨 버리고, 반면 우연히 아주 작은 나뭇조각의 도움이라도 받게 되면 주위를 둘러볼 수 있을 만큼 머리를 들어올릴 수도 있게 되네. 그런데 헤엄을 칠 줄 모르는 사람이 물 속에서 허우적거릴 경우, 으레 두 팔을 위로 뻗고 머리는 평소처럼 어떻게든지 수직으로 유지하려고 하는 법이야. 그 결과 입이나 콧구멍은 물 속에 잠기고, 수면 아래로 가라앉으면서 호흡을 하려고 할 때에 물이 폐로 들어가고 말지. 또한 위 속에도 물이 많이 들어가게 되므로, 처음에 폐나 위 속에 차 있던 공기와 그것과 대체된 물과의 무게 차이만큼 온몸이 무거워지고 말지. 이 무게의 차이로 인해 일반적으로 몸이 가라앉고 마는데, 뼈가 가늘고 지방이 유난히 많은 살찐 체질의 사람인 경우는 그렇게 되질 않아. 그런 사람은 익사하고 나서까지 물에 떠 있을 수가 있지."

"그러면 마리 로제라는 아가씨도 그랬다는 말인가?"

"시체가 부패하면 가스가 발생하여 세포 조직이나 몸의 모든 부분을 팽창시켜 아주 끔찍한 모습이 되지. 이 팽창이 계속되어 시체의 부피는 두드러지게 커지는데, 질량, 즉 무게가 그에 비례해서 늘지 않는 단계에 이르면, 비중이 물의 비중보다 작아져 시체가 곧 수면 위에 떠오르지. 그러나 부패는 여러 조건에 따라 빨라지거나 늦어지지. 이를테면 기후, 물의 광물질 함유량, 물의 깊이, 물의 흐름, 또한 시체의 체질, 살아 있을 때의 병의 유무 등등의 원인에 의해서 말일세. 따라서 시체가 부패해서 떠오르는 시기를 정확하게 정하는 일 따위는 의미가 없네."

"그렇다면 어떤 조건에서는 한 시간 만에 떠오를 수도 있고, 다른 조건에서는 전혀 떠오르지 않을 수도 있는 것이로군."

"맞아. 동물의 몸을 '영원히' 부패하지 않도록 할 수 있는 화학 약품도 있다네. 염화제이수은이 그 하나지. 그러나 부패 작용말고도 식물성 물질의 초산 발효로 위장 속에, 혹은 다른 원인으로 다른 체강 속에 가스가 발생하여 시체를 수면에 떠오르게 하는 데 충분한 팽창이 생기는 수도 있지. 대포를 발사하여 시체가 떠오르는 것은 한낱 진동의 결과에 지나지 않아. 강바닥의 진흙 속에 박혀 있던 시체가 진동으로 뒤흔들리고, 또 다른 원인으로 떠오르기 일보 직전의 시체가 수면에 뜨기도 하는 거지. 아니면 대포의 진동 때문에 세포 조직의 썩어 가는 부분의 점착력이 상실되어 가스의 힘으로 체강이 팽창하는 결과가 생기는지도 모르지."

"그런데 그것을 어떻게 시험할 수 있단 말인가?"

"《레토아르》가 발표한 '모든 경험에 비추어 볼 때 익사체나 타살된 직후 수중에 던져진 시체가 충분히 부패하여 수면에 떠오르기까지는 6일 내지 10일이 걸린다. 물 속에 잠겨 있는 최소한의 기한인 5, 6일이 되기 전에 시체 위로 대포를 발사하여 시체가 떠오른다고 해도 그대로 내버려 두면 다시 가라앉고 만다.' 고 하는 주장에는 앞뒤가 전혀 맞지 않는 모순이 있다는 것을 알 수 있네."

"어떤 점에서 그런가?"

"익사체가 충분히 부패하여 수면에 떠오르게 되기까지 6일 내지 10일이 걸린다는 사실은 어디에도 나와 있지 않네. 물에 빠진 시체가 떠오르는 기간은 일정치 않네. 나는 또한 '익사체'와 '타살된 직후 물 속에 던져진 시체'가 구별되고 있는 점에 주의를 기울이고 있네. 《레토아르》의 필자는 이 구별을 인정하면서도 그것들을 모두 같은 범주 속에 넣고 있질 않나. 물 속에 빠져 들어가는 인간의 몸이 같은 용적의 물보다 어째서 비중이 커지는 것인지, 그리고 수면 위에 두 팔을 내놓고 허우적거리든가 물 속에 가라앉으면서 억지로 호흡하려 하든가 하지 않으면 완전히 빠지는 일은 없으리라는 것, 물 속에서 억지로 호흡하려 하기 때문에 원래 폐 속에 들어 있던 공기 대신 물이 들어차는 것이라는 사실은 앞에서 이미 얘기했지. 그러나 '타살된 직후 수중에 던져진 시체'의 경우는 그렇게 허우적거리든가 억지로 호흡하려는 일이 없을 걸세. 그러므로 이 경우 시체는 전혀 가라앉지 않게 되는 거야. 《레토아르》는 이 사실을 모르고 있는 거지. 부패 작용이 극도로 진행되었을 때, 즉 살이 뼈에서 굉장히 많이 떨어지게 되었을 때에야 비로소 시체가 가라앉는 걸세."
"그렇다면 발견된 시체가 마리 로제의 것일 리가 없다는 주장은 어떻게 반박하겠나?"
"만약 익사한 거라면 마리는 여자니까 가라앉지 않았거나, 가라앉았다 해도 4시간 이전에 다시 떠올랐을지도 모르지. 그러나 마리가 익사했다고 생각하는 사람은 아무도 없어. 시체의 상태가 너무나 끔찍했기 때문이지. 따라서 죽은 후에 물에 던져진 것이니까 언제라도 물에 떠 있었을 걸세."
"음."
"《레토아르》는 이렇게 쓰고 있지. '그러나 시체가 만일 화요일 밤까지 피살된 상태로 기슭에 방치되어 있었다면, 범인의 흔적이 무엇인가 기슭에서 발견되었을 것이다.' 라고 말야. 여기서 이 추리자가 의도하는 것이 무엇인지 처음엔 이해하기가 어렵지. 그는 자기의 이론에 대한 반론을 예상하고 있는 거야. 즉, 시체는 강가에 이틀 동안 방치되어 물 속에 잠겨 있을 때보다 더욱 급속히 부패했을지도 모른다는 반론을 말이지. 그는 그런 경우라면 시체가 수요일에 수면에 없을지도 모른다고 상상했고, 그러한 조건에서만 시체가 떠오를 수 있었으리라고 생각한 걸세. 그래서 시체가 기슭에 '방치되지 않았다' 는 것을 서둘러 증명하려는 것일세. 기슭에 방치되었다면 '무엇인가 범인의 흔적이 기슭에서 발견되었을 것' 이라는 말로써 말이야."

나는 빙긋 웃었다.

"이번에는 자네도 미소를 짓는군. 시체가 기슭에 오래 있었다는 것만으로 어떻게 범인들의 흔적이 묻어날 수 있는지 자네로선 납득이 안 되겠지. 나 역시 마찬가질세. 이 신문은 이렇게 계속하고 있네. '뿐만 아니라 여기서 가정하는 것과 같은 살인을 저지른 악당이 있다면, 그 정도의 주의는 능히 할 수 있었을 텐데, 추도 달지 않고 시체를 강에 던져 넣었으리라고는 도저히 생각하기가 어렵다.' 고 말일세. 이 웃지 않을 수 없는 사고의 혼란을 보게나. 누구 한 사람 발견된 시체가 살해된 것이라는 데에는 이견이 없네. 폭력을 사용한 흔적이 너무도 뚜렷하니까 말일세. 이 논자의 목적은 이 시체가 마리의 것이 아님을 증명하려는 것뿐이야. 그가 증명하려고 하는 것은 마리가 살해되지 않았다는 것이지, 그 시체가 살해되지 않았다는 건 아닐세. 그럼에도 불구하고 그들은 이렇게 말하고 있어. 즉, 여기에 추도 달지 않은 시체가 있다. 그 시체를 살인범들이 강물에 던졌다면 던질 때 추를 다는 걸 잊었을 리가 없다. 그러므로 이 시체는 범인들이 던져 넣은 게 아니다. 증명된 것이 있다면 단지 이것뿐일세."

"정말 앞뒤가 맞지 않는 얘기군."

"이 필자가 자기도 모르게 모순에 빠진 부분은 이것뿐만이 아니네. 그의 한 가지 목적은 단지 마리의 실종부터 시체의 발견까지의 시간을 되도록 단축시키는 것일세. 그래서 그녀가 어머니의 집을 나선 순간부터 누구도 그녀의 모습을 본 사람이 없다는 것을 연일 강조하고 있지 않는가. '6월 22일, 일요일 9시 이후 마리 로제가 이 세상 사람이었다고 하는 확증은 전혀 없다.' 고 그는 말하고 있어. 그의 주장이 분명 일방적인 것인만큼 적어도 이 문제만은 끄집어 내지 말았어야 했을 걸세. 왜냐하면, 월요일이라든가 화요일에 마리를 본 사람이 있다면 문제의 기간은 크게 단축되고, 따라서 그의 추리에 따르면 시체가 향수 가게 여직원의 것일 확률도 훨씬 적어질 테니까 말일세. 그럼에도 불구하고 이 점을 강조하고 있으니 우습지 않은가?"

"그러면 보베와 관련된 기사는 어떻게 보고 있는가?"

"《레토아르》는 보베가 얘기한 팔뚝의 '털' 에 관해서 불성실한 보도를 하고 있음이 분명하네. 보베가 바보가 아닌 이상 시체 확인에 있어, 단지 '팔뚝에 있는 털' 만을 강조했을 리는 없지. 세상에 털이 없는 팔뚝이란 없지. 《레토아르》의 이 막연한 표현은 증인의 말을 왜곡시킨 것이 분명해. 보베는 털의 빛깔, 양, 길이, 또는 위치 등의 특징을 얘기했을 것이 분명하네."

"그렇겠군."

"신문은 또 이렇게 말하고 있지. '그녀의 발은 작았다고 한다. 하지만 작은 발은 무수히 있다. 그녀의 양말 대님은 아무 증거도 되지 않는다. 구두 역시 그렇다. 시장에 나가 보면 이것과 같은 양말과 대님을 무수히 볼 수 있다. 모자의 꽃장식도 마찬가지다. 보베 씨가 강력히 주장하고 있는 한 가지는, 발견된 양말 대님이 사이즈를 줄이기 위해

겹쳐져 있었다는 점이다. 하지만 이건 아무것도 아니다. 왜냐하면, 대개의 여성은 물건을 사는 가게에서 양말 대님을 끼워 보지 않고 그대로 집에 가지고 가서 발에 맞추어 보기 때문이다.' 라고 말이야."

"그게 어쨌다는 말인가?"

"마리를 찾고 있던 보베가 몸집과 얼굴 생김이 마리와 비슷한 아가씨의 시체를 발견했다면, 자기가 찾고 있던 사람이라고 생각하는 것은 당연할 걸세. 만일 몸집과 얼굴 외에도 팔에서 생전의 마리에게서 볼 수 있었던 털을 발견했다면, 보베의 생각은 당연히 강해질 수밖에 없었을 거야. 또 마리의 발이 작고 시체의 발도 작았다면, 그 시체가 마리일 확률은 더욱 커지는 거지. 거기다가 구두까지 그녀가 실종되던 날 신고 있었던 것과 같다면, 비록 그런 구두와 똑같은 것이 대량으로 팔리고 있다 하더라도 확신의 정도는 더욱 높아지지. 또 모자의 꽃장식까지 실종된 마리가 쓰고 있던 것과 같다면, 더 이상 캐볼 것도 없는 거야. 이렇듯 계속해서 증거가 늘어가면, 단지 하나의 증거가 추가되는 것에 지나지 않고, 몇백 배 몇천 배로 확실해지는 거지. 그런데 또 시체의 몸에서 마리가 쓰던 것과 같은 양말 대님을 발견했다면, 그 이상 따지는 것이 어리석을 정도지. 그리고 양말 대님이 집을 나서기 직전에 마리가 하고 있던 것과 똑같은 방식으로 줄여져 있음이 밝혀졌다면, 그 신원을 의심하는 것은 미치광이나 하는 짓이야. 양말 대님을 이런 식으로 줄이는 것이 흔한 일임을 《레토아르》가 주장하는 것은 자기들의 잘못된 주장을 끝까지 고집하려는 것에 지나지 않아. 양말 대님의 탄력성 자체가 그것을 줄이는 일이 드물다는 것을 증명하고 있다네. 저절로 조절할 수 있게 되어 있는 것은 외적인 조절을 꼭 필요로 하는 경우가 극히 드물 걸세. 이 하나만으로도 충분히 그녀의 신원은 입증될 수 있었던 것일세. 이런 상황에서 《레토아르》의 기자가 마리의 시체가 아닐 것이라는 의문을 진실로 품었다면, 이 사람은 정신이 나갔다고밖에 할 수 없네."

"나도 《레토아르》가 보베에 대해 한 말은 믿을 수가 없네."

"자네도 이 선량한 사나이의 성품은 잘 알고 있을 거야. 낭만적인 성향이 강하고, 눈치 없이 남의 일에 끼어들기 좋아하는 호인이지. 이러한 성격의 사람은 흥분하게 되면 남에게 의심받을 행동을 하기 쉬운 법이지. 보베는 《레토아르》의 기자와 몇 번 단독 인터뷰를 갖고 기자의 주장을 반박하며, 그 시체가 마리의 것임에 틀림없다는 견해를 내세움으로써 상대를 화나게 만들었어. 신문은 이렇게 쓰고 있지. '보베 씨는 어디까지나 시체가 마리의 것이라고 고집하지만, 마리라는 것이 확인될 만한 확실한 증거는 하나도 없다.' 라고 말이야."

"어쨌든 지금 보베는 의심을 받고 있지 않는가?"

"보베가 한 의심스러운 행동은 낭만적이고 남의 일에 참견하기를 좋아하는 그의 성격 때문에 나타나는 것들이지. 그가 지금 의심을 받고 있는 점은, 열쇠 구멍에 꽂혀 있었던 장미꽃, 석판에 '마리' 라고 씌어 있었던 일, 친척 남자들을 멀리 했던 일, 그들에게 시체를 보여 주는 것을 꺼렸던 일, 자기가 돌아올 때까지는 경찰과 이야기를 해서는 안 된다고 B부인에게 주의를 준 일, 마지막으로 자기 이외의 누구도 일절 이 일의 처리에 관여시키지 않으려고 결심한 것 같은 점 등이지."

"내게도 그런 모든 점이 석연치 않다네."

"보베가 마리의 구혼자의 한 사람이었다는 점, 마리가 그에게 교태를 떨었다는 점, 그리고 자신이 마리와 가깝게 지냈던 사실을 모두에게 인정받고 싶어 했다는 점을 생각하면 그의 행동을 이해할 수 있을 걸세. 그리고 어머니나 다른 친척들이 시체가 마리 로제라고 믿는다는 것과는 완전히 상반될 정도로 냉담한 반응을 보였다는 《레토아르》의 주장은 이제 반증이 된만큼, 그 시체의 주인이 마리가 확실하다는 전제 아래 다음 얘기를 진행하세."

"그럼 《르 커메르시에르》의 의견은 어떻게 생각하나?"

"이 사건에 관해 발표된 어느 의견보다도 주목할 가치가 있다고 생각하네. 그러나 적어도 두 가지 점에서 불완전한 관찰을 하고 있네. 《르 커메르시에르》는 마리가 어머니의 집에서 그리 멀지 않은 곳에서 불량배들에게 붙잡힌 것이라고 암시하고 있네. '마리처럼 얼굴이 널리 알려진 사람이 사거리를 셋이나 지나도록 아무도 본 사람이 없다는 건 있을 수 없는 일이다.' 고 얘기하고 있지. 하지만 이것은 파리에 오랫동안 살고(그것도 공무원으로), 시내를 걷는데도 대개 관청이나 회사의 근처밖에 왕래하지 않는 사람의 생각이야. 그러한 사람은 자기의 사무실에서 10구역이나 가도록 자기를 알아보고 말을 거는 사람이 없는 경우란 좀처럼 드물지. 그리고 자기가 남을 몇 사람이나 알고 있으며, 자기를 아는 남들은 얼마나 되는지도 잘 알고 있어. 그 사람은 마리가 거리를 걷고 있으면, 자기가 걷고 있는 경우와 같은 정도로 남에게 발견되리라고 생각하지. 그러나 이것은 그녀의 걸음이 이 남자와 마찬가지로 언제나 변함 없이 일정한 곳을 걸으며, 한정된 구역 내를 움직이고 있는 경우에만 해당될 수 있는 일이지. 그러나 마리의 걸음은 아마도 마음내키는 대로였다고 생각해도 좋을 거야. 더구나 이번의 경우는 평소와는 다른 길을 택했을 가능성이 높아. 나는 마리가 언제 어떠한 시각에라도 그녀가 알고 있는 사람 중 어느 누구도 만나지 않고, 집에서 숙모 집까지 나 있는 여러 개의 길 가운데 하나를 지나갈 수 있었으리라고 생각하네."

"과연 그럴까?"

내가 고개를 갸우뚱거리며 반문했다.

"《르 커메르시에르》의 주장에 아직도 설득력이 있는 것처럼 보일 수도 있지. 하지만 그것도 마리가 외출한 '시각'을 고려하면 크게 줄어들 걸세. 《르 커메르시에르》는 마리가 집을 나섰을 때는 거리가 사람들로 붐비는 시각이었다고 말하고 있어. 하지만 그렇지 않아. 시각은 아침 9시였네. 일주일 중 일요일을 제외하고는 확실히 이 시간에 거리가 붐비지. 하지만 일요일에는 대부분의 사람들이 집 안에서 교회 갈 준비를 하고 있을 시각이야. 일요일 아침 8시부터 10시까지는 시내가 텅 빈 것 같은 분위기에 잠긴다는 건 조금만 주의를 기울이면 누구나 알 수 있는 사실이지. 그러다가 오전 10시가 지나서야 비로소 사람들로 붐비지."

나는 뒤팽의 말에 고개를 끄덕일 수밖에 없었다.

"《르 커메르시에르》에는 또 하나 관찰 부족으로 보이는 점이 있어.

거기에는 이렇게 씌어 있어. '그 불행한 아가씨의 속옷이 길이 60센티미터, 너비 30센티미터로 찢어지고, 그 조각이 목 부위에 둘러져 턱 밑에서 매듭지어져 있었는데, 이것은 아마도 비명을 지르지 못하게 하기 위해서인 듯하다. 이런 짓은 손수건을 갖고 있지 않은 자의 소행이다' 라고 말일세. 여기서 필자는 손수건을 갖고 있지 않는 자들을 못된 불량배로 얘기하려는 듯싶네. 하지만 불량배들은 속옷은 입지 않더라도 손수건만은 반드시 갖고 다닌다네. 자네도 기회가 되면 살펴보게. 진짜 악당들에게 필수불가결한 것이 손수건이라는 사실을 알게 될 거야."

"그럼 《르 솔레유》의 기사는 어떻게 생각해야 하지?"

"그 기자가 앵무새로 태어나지 않은 게 참으로 유감이라고 생각해야겠지. 앵무새로 태어났더라면 유명해질 수 있었을 텐데 말이야. 그는 이미 발표된 의견들을 짜맞추어 얘기하고 있을 뿐이야. 이 신문 저 신문에서 부지런히 주워 모아 가지고 말일세. 그는 이렇게 말했지. '이러한 물건들은 적어도 3, 4주일 동안은 이 장소에 있었던 것이 분명하다. 그리고 끔찍한 범죄의 현장이 발견되었음은 의심할 여지가 없다.' 고 말일세."

"그런데?"

"여기서 《르 솔레유》의 의견을 반박하기 전에 다른 것을 먼저 조사하지 않으면 안 되네. 자네도 시체의 검사가 대충 이루어졌다는 점을 깨달았을 걸세. 물론 신원은 곧 확인되었지. 하지만 그 밖에도 확인되었어야 할 점들이 많이 있었어. 시체에게서 '약탈당한' 것은 없었는가? 피해자가 집을 나설 때 몸에 보석류를 지니고 있었는가? 그랬다면 발견될 당시 그걸 몸에 지니고 있었는가? 이런 것들은 중요한 문제인데도 증언에서는 전혀 언급되지 않았지. 그 밖에도 많은 중요한 것들이 조사되지 않은 채 그냥 지나쳐 버렸지. 그러니 우리들이 직접 조사해서 납득이 가도록 해야 할 걸세."

"어떻게 조사한단 말인가?"

"생퇴스타쉬 사건도 재검토할 필요가 있어. 나는 이 사람을 조금도 의심하고 있지 않아. 하지만 이 남자의 일요일 행적에 대한 진술서를 다시 확인해 볼 필요가 있네. 그가 자살을 했는지 아닌지는 아직 정확하지 않네. 하지만 어쨌든 그의 죽음과 마리의 죽음은 어떤 연관이 있는 게 틀림없어."

"어떻게 말인가?"

"그 전에 말하고 싶은 것은, 이 비극적인 사건에서 좀 벗어나 아가씨의 주변으로 관심을 돌리는 것일세. 이와 같은 조사에서 곧잘 저지르는 잘못은, 직접적인 사건에만 수사를 국한시키고 부수적인 것들은 완전히 무시해 버리는 일일세. 증언과 변론을 명백히 관련이 있는 것에만 국한시키는 것은 법정의 오래된 악습이지. 그러나 많은 진실이, 아니 어쩌면 50퍼센트의 진실이 겉보기와는 무관한 것으로부터 나오는 것일세."

"과연 그럴까?"

"자네는 생퇴스타쉬의 진술서의 진위를 확인해 주게나. 나는 그 동안 신문들을 자네가 지금까지 했던 것보다 좀더 광범위하게 검토하겠네. 이제까지 우리는 이미 조사된 영역을 답사한 데 지나지 않아. 하지만 신문 기사들을 사건 주변을 중심으로 다시 한 번 살펴보면, 수사의 방향을 결정지을 어떤 단서가 나타날지도 모르지."

뒤팽의 지시에 따라 나는 진술서의 내용을 면밀하게 조사해 보았다. 그 결과 진술서에는 거짓이 없으며, 따라서 생퇴스타쉬는 무죄임이 확실한 것 같았다.

한편, 뒤팽은 각종 신문 기사들을 꼼꼼하게 훑어보고 있었다. 1주일 후 그는 신문 기사에서 발췌한 내용들을 나에게 보여 주었다.

약 3년 반 전에, 마리 로제는 팔레 루아얄의 르 블랑 씨의 향수 가게에서 모습을 감추어 이번과 비슷한 소동을 일으켰다. 그러나 일주일 뒤에 그녀는 다소 얼굴빛이 창백하긴 했지만, 여느 때처럼 매장에 다시 모습을 나타냈다. 르 블랑 씨나 그녀의 어머니가 전하는 바로는, 그녀는 시골의 친척집에 가 있었다고 한다. 그래서 이 사건은 곧 잠잠해졌다. 우리는 이번의 잠적도 그와 같은 마리의 변덕스러운 성격에서 비롯된 것으로 본다. 따라서 일주일이나 한 달 후에 다시 그녀의 모습을 보게 되지 않을까 기대한다.

——《이브닝 페이퍼》 6월 23일 월요일

어제의 한 석간 신문은 예전에도 마리 로제 양에게 수수께끼의 실종 사건이 있었음을 언급하고 있다. 르 블랑의 향수 가게에 모습을 보이지 않았던 일주일 동안 그녀가 난봉꾼으로 이름난 한 젊은 해군 장교와 함께 있었다는 것은 널리 알려진 사실이다. 다행히도 그녀가 일주일 후에 돌아온 것은 그와 다투었기 때문인 것으로 여겨진다. 현재 파리에 머물고 있는 이 바람둥이의 이름을 우리는 알고 있지만, 그것을 발표하지는 않겠다.

——《르 메르퀴르》 6월 24일 화요일 조간

흉악하기 이를 데 없는 폭행이 엊그제 시 변두리에서 벌어졌다. 해질 무렵 아내와 딸을 동반한 한 신사가, 센 강 기슭에서 보트의 노를 저으며 오락가락하고 있던 여섯 명의 젊은이에게 부탁하여 강을 건너갔다. 세 사람의 승객이 건너편 기슭에 닿자 배에서 내리고 보트가 보이지 않는 지점까지 갔을 때, 딸이 배 안에 파라솔을 두고 내렸음을 깨달았다. 그녀는 그것을 가져오려고 되돌아갔다가 이 불량배들에게 붙잡혀 강 가운데로 끌려가서 재갈을 물린 채 폭행을 당했으며, 그런 끝에 처음에 부모와 함께 보트에 올라탄 지점에서 그리 멀지 않은 곳 기슭에 버려졌다. 악당들은 현재 도주 중이지만, 경찰이 그들을 뒤쫓고 있어 그 중 몇 명은 머지않아 잡힐 것으로 보인다.

——《모닝 페이퍼》 6월 25일

우리 신문사에서는 이번의 흉악 범죄가 메네의 짓이라는 몇 통의 투서를 받았다. 하지만 경찰의 조사 결과 메네는 무죄가 판명되었다. 투서자들은 확신에 차 있기는 하지만, 말이 안 되는 부분이 엿보이므로 이것을 발표할 가치를 느끼지 못하고 있다.

——《모닝 페이퍼》 6월 28일

우리 신문사에서는 각자 다른 사람이 보냈음이 분명한 격렬한 투서 몇 통을 받았는데, 이들 투서는 불행한 마리 로제가 일요일에 시의 변두리를 누비는 수많은 불량배 무리 가운데 어느 일당에게 희생되었음이 틀림없다고 주장하고 있다. 우리 신문의 견해도 이 추측을 지지한다. 앞으로 지면을 할애하여 이런 주장들의 일부를 게재하고자 한다.

——《이브닝 페이퍼》 6월 31일 화요일

월요일, 세무국 소속의 사공 한 명이 센 강을 떠내려가는 빈 보트를 발견했다. 그 보트의 돛은 뱃바닥에 놓여 있었다. 사공은 그 보트를 사무실 아래까지 끌고 왔다. 그런데 다음 날 아침, 그 보트는 사무실의 어느 누구도 모르게 감쪽같이 사라져 버렸다. 배의 키만은 현재 사무실에서 보관하고 있다.

——《라 딜리장스》 6월 26일 목요일

나는 이 여러 종류의 발췌문을 읽었지만 도무지 어리둥절할 뿐이었다. 그것들은 모두 서로 다른 내용이었고, 어느 것 하나 마리의 사건과 연결되지가 않았다. 나는 뒤팽의 설명을 기다리는 수밖에 없었다.

"이 발췌문을 보면서 느꼈겠지만, 경찰들은 해군 장교에 대한 조사는 전혀 생각하고 있지도 않네. 또한 마리의 첫 번째 실종과 두 번째 실종 사이에 아무런 연관도 짓지 않는 것 자체가 얼마나 우스운가? 첫 번째 사랑의 도피가 연인들 사이의 싸움과 배신당한 쪽의 귀가로 끝났다고 치세. 그렇다면 두 번째 또다시 사랑의 도피가 있었다면 말일세. 그것은 다른 남자의 새로운 유혹의 결과라기보다 전에 배신했던 남자가 다시 접근해 왔음을 말해 주는 거라는 생각이 들지 않나?"

"글쎄?"

"예전에 한 남자로부터 함께 도망치자는 유혹을 받은 마리에게 또 다른 남자가 같은 유혹을 했을 가능성보다는, 전에 마리와 사랑의 도피 행각을 벌인 남자가 또다시 도망치자고 했을 가능성이 보다 크지 않겠는가? 여기서 자네에게 강조하고 싶은 것은, 3년 반 전에 행한 사랑의 도피와 두 번째의 사랑의 도피까지 경과한 기간이 우리 나라의 군함이 순양 항해에 소비하는 기간보다 불과 두어 달밖에 더 길지 않다는 점일세. 그 애인이 항해를 떠나야 할 시기가 되어 최초의 도피가 도중에 좌절되었다면, 그래서 귀국하자마자 즉시 성취하지 못한 비열한 음모를 다시 꾸미기 시작했다면 어떻겠는가? 하지만 이러한 것들은 어디까지나 가정에 불과한 거야."

"그렇다면 마리의 죽음이 그 해군 장교와 관련이 있다는 말인가?"

"자네는 두 번째의 실종에서 어떤 사랑의 도피의 흔적도 보이지 않는다고 하겠지. 겉으로 보아서는 확실히 그렇지. 하지만 마리에게 생퇴스타쉬와 보베를 제외하고는 다른 사람들까지 알고 있는 구혼자는 없네. 그렇다면 과연 마리의 친척들조차 모르는 그 남자는 과연 누구일까? 마리가 일요일 아침에 만나 룰 관문의 외진 숲 속에서 저녁 어스름이 다가올 무렵까지 함께 있기를 주저하지 않을 만큼 가까운 애인은 누구란 말인가? 그리고 또 한 가지, 마리가 집을 나간 날 아침에 어머니인 로제 부인이 '이제 두 번 다시 마리를 볼 수 없을지 모른다.'고 한 말은 대체 무엇을 뜻하는가?"

"그럼 로제 부인은 마리가 누구를 만나러 가는지 알고 있었단 말인가?"

내가 놀라서 외쳤다.

"어머니가 딸의 도피 계획을 알고 있었다고는 할 수 없지. 하지만 딸이 그런 계획을 품고 있었다는 것을 상상할 수 있지는 않을까? 집을 나설 때 그녀는 데 드로메 거리의 숙모 집에 간다고 했고, 생퇴스타쉬에겐 저녁때 마중 나와 주도록 일렀지. 이러한 정황은 얼핏 내가 생각하는 것과 크게 어긋나 있네. 하지만 잘 생각해 보게나. 그녀가 분명히 누군가와 만났고 그와 함께 강을 건너 오후 3시라는 늦은 시각에 룰 관문에 이르렀다는 것은 밝혀진 사실일세. 그런데 어떤 목적에서였는지 마리는, 그 남자에게 일요일에 동행할 것을 승낙하고서는, 집을 나설 때는 생퇴스타쉬에게 엉뚱한 행선지를 알려 주었네. 약혼자인 생퇴스타쉬가 약속한 시각에 데 드로메 거리를 찾아갔다가 그녀가 오지 않았음을 알게 되고, 게다가 하숙에 돌아와 그녀가 죽 집을 비우고 있었음을 알아차렸을 때 얼마나 놀라고 의심을 품었을 것인지는 충분히 짐작이 가네. 마리는 생퇴스타쉬가 화를 낼 것과 모두가 의심을 품으리라는 것을 예상했을 거야. 이러한 의심을 겁내지 않고 돌아간다는 생각은 할 수 없었을 걸세. 하지만 애당초 돌아갈 생각이 없었다고 가정하면, 그런 의심 같은 건 그녀에게 대수롭지 않은 일이었겠지."

"그러면 마리가 다시 돌아오지 않겠다는 결심으로 집을 나섰단 말인가?"

"나는 그녀가 이런 식으로 생각했을 거라고 상상하네. '나는 오늘 어느 누구의 방해도 받기 싫다. 따라서 아무도 의심하지 않을 정도의 시간적 여유가 있어야 한다. 그러니 모두에게 데 드로메 거리의 숙모 집에 가서 하루를 보낼 거라고 해 두자. 생퇴스타쉬에겐 해질 때까지는 나를 마중 나오지 않도록 일러 두자. 이렇게 해야만 오랜 시간 집을 비워도, 의심받거나 걱정을 끼치지 않고 시간을 벌 수 있다. 생 퇴스타슈에게 해진 뒤에 나를 마중 나오라고 일러 두면, 그 이전엔 나오지 않을 테지. 그러나 마중 나오라는 말을 하지 않으면, 내가 달아날 수 있는 시간은 그만큼 줄어든다. 왜냐하면, 내가 오후쯤에 돌아올 걸로 여기게 되고, 그만큼 나의 부재를 빨리 걱정하기 시작할 테니까. 그러나 내가 그 사람하고 단지 조금 거닐다가 올 생각이라면, 생퇴스타쉬에게 마중 나오라고 하는 건 현명한 방법이 못 될 거야. 왜냐하면 마중 나오면 그 사람은 내가 속인 것을 분명히 알고 말 테니까. 그런 일이라면 그 사람에게 아무것도 알리지 않고 집을 나가 해질 때까지 돌아와서 데 드로메 거리에 있는 숙모 집에 가 있었다고 하여, 언제까지고 모르게 하는 게 좋지. 하지만 나의 속셈은 결코 돌아오지 않는 거니까. 아니, 적어도 몇 주일 동안, 아니면 어떤 핑계를 만들어 내기까지는 돌아오지 않는 거니까, 지금 내가 생각해야 될 것은 단지 도망갈 시간을 버는 것뿐이야.' 하고 말일세."

"어떻게 그런 생각을 하게 되었나?"

"그 동안 이 사건에 대한 일반적인 견해는 아가씨가 불량배 일당에게 희생되었다는 것이었네. 하긴 어떤 경우에도 세상의 견해라는 것을 무시할 수 없는 거지. 사람들의 자발적인 여론이 때로는 천재의 직관과 맞먹을 수도 있으니까. 나 역시 99퍼센트는 세상의 견해에 따르지. 하지만 어떤 견해도 유도의 흔적이 없어야 하네. 그 의견이 철저하게 대중들의 자발적인 것이어야 한다는 거지. 하지만 그 견해가 누구에 의해, 즉 신문 같은 것에 의해 유도된 것인지, 아니면 순수하게 대중들로부터 나온 것인지를 구별하기란 지극히 어려운 일이야. 이번 경우 불량배 일당에 대한 세상의 견해는 부수적인 사정에 의해 강화된 것으로 보이네. 젊고 미인이고 소문난 아가씨 마리의 시체가 발견되어 온 파리가 들끓고 있네. 이 시체는 폭행당한 흔적을 지닌 채 강에 떠 있는 것이 발견되었지. 그리고 이 아가씨가 살해된 걸로 추정되는 비슷한 시각에 젊은 불량배 일당에 의해 다른 젊은 여성이 피해를 입은 사실이 알려졌네. 이렇게 되면 이미 밝혀진 흉악한 범죄가 아직 밝혀지지 않은 범죄에 대한 세상의 판단에 절대적인 영향력을 미치게 되지. 그러나 실은, 하나의 범행이 그런 식으로 저질러졌다면 오히려 그것과 거의 때를 같이하여 저질러진 다른 범행은 그런 식으로 저질러지지 않았다는 증거가 될 뿐이라네. 어떤 장소에서 한 떼의 악당이 전대미문의 악행을 저지르고 있는데, 같은 시의 같은 지역에서 같은 방법으로, 비슷한 시각에 또 한 떼의 악당이 똑같은 악행을 저지르고 있다면, 그것이야말로 기적이라고 할 수 있지 않겠나!"

"자네 의견은 마리를 죽인 범인이 불량배가 아니라는 것이군?"

"먼저, 살해 현장으로 여겨지고 있는 룰 관문의 덤불을 생각해 보세. 이 덤불은 깊숙한 덤불이지만 한길에서 아주 가까운 데 있지. 덤불 속에는 서너 개의 커다란 돌이 등받이와 발판이 있는 일종의 의자 모양을 이루고 있었네. 위쪽 돌에서는 흰 속치마가 발견되었고 다음 돌에서는 비단 스카프가 발견되었네. 파라솔과 장갑과 손수건 역시 이 장소에서 발견되었어. 손수건에는 '마리 로제' 라는 이름이 수놓아져 있었지. 옷의 조각이 근처의 나뭇가지에 걸려 있었네. 땅바닥은 짓밟혔고, 관목의 가지들이 꺾여 있는 등, 어느 모로 보나 격투가 벌어진 흔적이 역력했네."

"그렇지."

"이 덤불이 발견되자 신문들은 환호성을 질렀고, 모든 사람들이 이곳이 범행의 현장이라고 믿게 되었지. 물론 범행 현장으로 의심을 품을 만한 이유는 충분해. 만일 《르 커메르시에르》가 암시하고 있듯이 진짜 현장이 파비 생앙드레 거리 부근이었다고 하면, 범인들이 아직 파리에 숨어 있다고 할 때, 그들은 세상의 눈길을 딴 곳으로 돌려놓기 위한 노력이 필요하다는 생각이 즉시 들었을 걸세. 따라서 룰 관문의 숲은 이미 의심을 받고 있었기 때문에 예의 물건들을 그 곳에다 놓으려는 생각이 당연히 떠올랐을지도 모르지. 하지만 《르 솔레유》가 주장하듯이 발견된 물건들이 며칠 이상 그 덤불 속에 있었다는 정확한 증거는 어디에도 없어. 《르 솔레유》는 이렇게 썼지. '그것들은 비를 맞아서 완전히 곰팡이가 슬어 있고, 곰팡이 탓으로 서로 들러붙어 있었다. 근처에는 풀이 자라고 있었고, 그 중에는 풀로 덮여 있는 것도 있었다. 파라솔의 비단천은 튼튼한 것이었으나, 안쪽에는 실밥이 풀려 있었다. 두 겹으로 겹쳐져 있는 파라솔의 위쪽도 완전히 곰팡이가 슬어 삭아 있고, 펴는 순간 찢어지고 말았다.' 고 말일세. '근처에는 풀이 자라고 있었고, 그 중에는 풀로 덮여 있는 것도 있었다.' 고 하는 건, 단지 두 어린 남자아이들의 말로, 즉 그들의 기억으로밖에 확인할 수 없었던 것이 분명하네. 왜냐하면, 이 아이들은 물건을 주워서 집으로 가지고 올 때까지 어느 누구에게도 발견되지 않았으니까 말야. 그러나 풀은, 특히 살인이 있었던 때와 같이 덥고 습기찬 날씨에는 단 하루 동안에도 10센티미터 가까이 자라는 것일세. 잔디를 새로 깐 지면에 파라솔을 놓으면 단 1주일 동안에 무럭무럭 자란 풀 때문에 완전히 보이지 않게 될 수도 있는 걸세. 그리고 《르 솔레유》의 기자가 강조하고 있는 곰팡이에 대해서인데, 곰팡이는 균류의 하나로 발생해서 24시간 만에 죽어 버리는 것이 일반적인 특징인데, 이 친구는 그런 것도 모르고 있단 말인가?"

"자네 얘기에 따르면, 마리가 덤불 속에서 죽지 않았단 얘기로군."

"이 물건들이 적어도 3, 4주일 전부터 그 덤불 속에 있었다는 의견을 뒷받침하기 위해 기자가 들고 있는 증거라는 것이 전혀 터무니없는 것이기 때문이야. 또한 이 물건들이 1주일 이상 그 덤불 속에 놓여 있으리라고는 지극히 믿기 어려운 일이야. 파리 근교를 다소라도 알고 있는 사람이라면 교외의 아주 멀리까지 가지 않는 한 '사람 눈에 띄지 않는 장소' 같은 건 좀처럼 찾아볼 수 없네. 원래는 자연 속에서 살고 싶지만, 일 때문에 부득이 이 대도시의 먼지와 열기에 붙잡혀 있는 사람, 그런 사람에게 평일에라도 파리 시 근교의 아름다운 자연 속에서 명상의 갈증을 풀라고 해 보게. 그는 어딜 가든 한 발짝 옮길 때마다 불량배나 건달의 무리와 마주칠 걸세. 호젓하게 혼자 있을 만한 곳을 아무리 찾아도 그것은 허사가 될 걸세. 으슥한 곳엔 언제나 지저분한 자들로 넘쳐나지. 결국 이 사람은 욕지기를 느끼며, 비록 오염된 시궁창이라 할지라도 부조화가 적은 파리의 도심으로 다시 달아나 버리고 말 걸세."

"그건 그렇지."

"평일에도 근교가 이렇게 시끄러운데 하물며 일요일이야 오죽 하겠는가! 일요일에는 일에서 해방되었거나 또는 평소에 못된 짓을 할 기회를 잃은 시내의 불량배들이 시의 변두리로 몰리게 되지. 그들이 전원을 사랑해서가 아니라, 마음속으로 경멸하는 사회의 제약과 인습에서 벗어나기 위해서야. 불량배들은 신선한 공기나 푸른 나무를 찾는 것이 아니라, 시골의 철저한 자유와 방종을 찾는 거지. 이런 교외에서 길가 술집이나 숲의 나무 그늘에 앉아 유쾌한 동료들 외엔 아무도 지켜보는 사람이 없는 가운데 자유와 럼 주의 산물인 환락의 도가니 속으로 빠져드는 거지. 파리 근교의 어떠한 덤불 속에서라도 일주일 이상 그 물건들이 아무에게도 발견되지 않았다면, 그건 거의 기적에 가까운 일일세."

나는 뒤팽의 말에 고개를 끄덕일 수밖에 없었다.
뒤팽은 계속 말을 이었다.
"그 물건들이 범행의 진짜 현장으로부터 주의를 돌리게 할 목적으로 그 덤불 속에 놓여졌을 거라는 의심에는 또 다른 근거가 있네. 먼저 그 물건들이 발견된 '날짜' 에 주의해 주게. 그 날짜를 내가 신문에서 베낀 다섯 번째 발췌문의 날짜와 대조해 보게. 석간 신문에 극성스런 투서들이 들어온 직후에 그 물건들이 발견되었음을 알게 될 걸세. 이들 투서는 내용도 다르고, 투고한 사람도 모두 다른 건 분명해 보이지만, 그 요점은 똑같네. 즉, 흉악한 범행의 범인을 '불량배 일당' 으로, 그리고 그 현장을 룰 관문 부근으로 사람들의 주의를 돌리려 하고 있어. 물론 그렇다고 해서 이 투서들 때문에, 혹은 그에 의해 세상의 관심이 그쪽으로 쏠렸기 때문에, 아이들이 그 물건들을 발견하기에 이르렀다는 건 아니야. 그러나 이 물건들이 그 이전에 발견되지 않은 것은, 이 물건들이 투서가 들어오기 전에는 그 덤불 속에 있지 않았다는 얘기가 되지. 따라서 그것은 투서를 써 보낸 범인의 손에 의해 그 곳에 놓여졌을 거라는 의심을 품어볼 수 있지."
"마리를 죽인 범인이 투서를 보냈고, 또 덤불 속에 마리의 물건을 가져다 놓았다는 건가?"
"그 덤불은 특별한 눈길을 끌었네. 유별나게 울창했지. 또한 천연의 벽으로 둘러싸인 그 속에 등받이와 발판이 있는 일종의 의자 모양을 이루고 있는 세 개의 특이한 돌이 있었네. 그리고 교묘하게 꾸며진 덤불은 드뤼크 부인의 집에서 얼마 떨어지지 않은 곳에 있으며, 게다가 그녀의 아들들이 평소 그 주변을 잘 돌아다니고 있었네. 아이들 중 적어도 어느 한 명이 덤불의 숲에 숨어 들어가서 천연의 의자에 앉지 않는 날은 단 하루도 없었을 거라고 하면 경솔한 추측일까? 그렇게 추측하길 주저하는 사람이라면, 소년 시절이 전혀 없었거나 소년의 심성을 잃어버린 사람일 걸세. 되풀이해서 말하지만, 이 물건들이 이틀 이상이나 발견되지 않은 채 덤불 속에 있었다는 것은 생각하기 어려운 일이야. 따라서 이 물건들은 사건이 일어나고 나서 상당한 시간이 흐른 뒤에야 비로소 덤불 속에 놓여졌을 거라고 여겨지네."

"자네 얘기를 들으니, 그럴 수도 있다는 생각이 드는군."

"또한 그 물건들이 아주 인위적으로 배치되어 있었던 점에 주목하기 바라네. 위쪽의 돌엔 흰 속치마가 놓여 있었지. 두 번째 돌엔 비단 스카프가 놓여 있었고, 주위에는 파라솔, 장갑, 그리고 '마리 로제'의 이름이 수놓인 손수건 등이 흩어져 있었네. 자, 이것이야말로 그다지 총명하지 않은 인간이 물건들을 자연스럽게 늘어놓고 싶을 때 자연스럽게 떠오를 만한 배치라네. 하지만 이것은 결코 자연스런 배치가 아니지. 나라면 어느 것이나 모두 땅바닥에 놓고 발로 짓뭉개 놓았을 걸세. 저 좁은 나무 그늘 속에서 많은 사람의 격투로 여기저기 찢겨진 속치마와 스카프가 돌 위에 그런 식으로 놓여 있을 수는 도저히 없었을 걸세. 신문에는 '격투가 벌어진 흔적은 역력했다. 지면은 짓밟혀 있고 관목의 가지는 꺾여져 있었다.' 고 씌어 있었지. 하지만 속치마나 스카프는 마치 선반 위에 놓아둔 것처럼 얌전히 놓여 있었던 거야. '덤불에 걸려 찢어진 프록코트천 조각들은 너비 8센티미터, 길이 15센티미터 가량이었다. 그 한 조각은 프록코트의 가장자리였는데, 이것은 기워져 있었다. 이것들은 모두 잡아 찢겨진 조각처럼 보였다' 고 되어 있어. 자, 여기서 《르 솔레유》는 무심코 아주 의심스런 말을 쓰고 말았어. 여기서 옷의 조각이 '잡아 찢겨진 것처럼 보인다.' 고 했으나, 사실 그것은 일부러 손으로 잡아 찢은 것 같았던 거야. 그런데 지금 문제삼고 있는 것과 같은 옷의 조각이 '가시' 에 걸려 '잡아 찢겨진다'는 일은 좀처럼 있을 수 없는 일이지. 그 옷감의 성질상 가시나 못에 걸리면 직각으로 찢어지게 되어 있어. 즉, 가시가 박힌 곳을 정점으로 하여 두 줄로 찢어지지. 그런 옷감에서 조각을 찢어서 떼어 내자면 대부분의 경우, 서로 다른 방향으로 작용하는 두 개의 다른 힘이 필요하게 돼. 즉, 양손을 사용하여 비슷한 힘으로 잡아당겼을 때 이렇게 찢어질 수가 있지. 게다가 하나뿐이 아니라 많은 조각이 이런 식으로 잡아 찢겨졌다는 사실을 믿으란 것인가? 또한 이런 모든 것보다 더욱 의심스러운 점은, 시체를 치울 만큼 조심스런 범인들이 그 덤불 속에 이런 물건을 남겨 놓았다는 놀랄 만한 사실일세."

나는 뒤팽의 예리한 추리력에 감탄할 수밖에 없었다.

뒤팽은 말을 계속했다.

"이번엔 '격투의 흔적'에 관해 내 생각을 얘기해 보겠네. 자네는 이 흔적이 무엇을 나타내는 것이라고 생각하나? 신문에서는 물론 불량배 일당이라고 얘기했지. 그러나 그것은 오히려 불량배 일당이 아니라는 것을 나타내고 있는 게 아닐까? 힘이 약한 가냘픈 아가씨와 불량배 일당과의 사이에 대체 무슨 '격투'가 벌어졌겠는가? 사방에 그 흔적을 남길 만큼 오랜 시간의 격렬한 격투가 어떻게 벌어질 수 있었느냔 말일세. 두서너 개의 거친 팔뚝이 말없이 움켜잡으면 그걸로 일은 끝났을 거야. 피해자는 놈들의 뜻에 절대 복종할 수밖에 없었을 걸세. 범인이 '단 한 사람'이라고 가정할 경우에만 흔적을 뚜렷이 남길 만큼 격렬하고 완강한 격투를 생각할 수 있지."

"자네 얘기를 듣고 있으니, 범인이 불량배들이 아니라는 것이 확실한 것 같군."

"문제의 물건들이 덤불 속에 그대로 남아 있는 것 자체가 의심스럽다는 건 이미 말했지? 범인들에겐 시체를 치울 만큼의 침착성이 있었는데, 시체 자체보다도 더욱 뚜렷한 증거물을 범행의 현장에 유난히 눈에 띄게 남겨 놓았네. 특히 눈에 띄는 것은 피해자의 이름이 적힌 손수건일세. 이것은 실수였다고 해도 불량배 일당의 실수는 결코 아니었네. 어떤 개인의 실수로밖엔 생각할 수 없어. 이렇게 생각해 보세. 어떤 한 사람이 살인을 저질렀다. 그의 곁엔 죽은 사람의 망령밖에 없다. 그는 눈앞의 움직이지 않게 된 시체에 겁을 먹게 된다. 격하게 달아올랐던 감정이 가라앉고 그의 가슴속엔 당연히 자신의 행위에 대한 공포로 가득 찬다. 패거리가 있으면 으레 생겨나는 그런 배짱도 전혀 없다. 시체와 자기 단둘뿐이다. 온몸이 떨리고 당황하게 된다. 그러나 시체는 치워야만 된다. 그래서 시체만 강으로 운반하고 범행의 다른 증거는 뒤에 남겨 놓게 되지. 한꺼번에 모든 걸 가져가기란 어려운 일이고, 나머지 것을 가지러 돌아오기는 쉬운 일이기 때문일세. 그러나 강변까지 낑낑거리며 가는 사이에 마음속의 공포는 배로 커지지. 사방에서 인기척이 들려오고 어떤 목격자가 이쪽으로 다가오는 소리가 몇 번이고 들린다. 아니면, 적어도 그런 느낌이 든다. 시내의 불빛에도 깜짝깜짝 놀라게 되지. 그러나 극도의 고뇌로 몇 차례나 한참씩 걸음을 멈춘 끝에 이윽고 물가에 이르러 그 몸서리치는 짐을 처분한다. 어쩜 보트를 이용했을지도 모르지. 그러나 이제 세상의 어떤 보물이, 세상의 어떤 보복의 위협이, 세상의 어떤 힘이 그 외로운 살인자로 하여금 그 덤불의 소름끼치는 현장을 찾아 힘겹고도 위험하기 그지없는 길을 되돌아가게 할 수 있겠는가? 그 결과가 어찌되든 그는 되돌아가지 않아. 되돌아가고 싶어도 되돌아갈 수가 없는 거야. 당장 달아날 생각밖에는 없는 것이지. 그 무서운 관목의 덤불에 영원히 등을 돌리고 닥쳐올 천벌로부터 달아나는 거야."

"그렇겠지."

"그러나 일당이 있었다면 어떻겠나? 그들의 수효가 그들에게 배짱을 심어 주었을 걸세. 한 사람이었다면 내가 상상한 것과 같은 그런 당황과 공포로 맥을 못 추게 되었겠지만, 여럿이었다면 그렇게 되지 않았을 거란 말일세. 한 사람, 두 사람, 아니 세 사람까지는 실수를 했더라도 네 사람째가 이 실수를 바로잡았을 걸세. 그들은 뒤에 무엇 하나 남기지 않았을 거야. 인원수가 많아 한꺼번에 '몽땅' 운반할 수 있었을 테니까 되돌아갈 필요도 없었겠지."

"그렇겠군."

"자, 이번엔 발견될 당시의 시체의 겉옷에서 '너비 30센티미터 가량의 조각이 밑자락에서 허리 부분까지 찢겨져 있고, 그것이 허리를 세 바퀴 감고 등에 일종의 매듭이 지어져 있었다.' 고 하는 상황을 생각해 보게. 이것은 분명 시체를 옮길 '손잡이' 를 만들 셈으로 한 짓일세. 그러나 건장한 남자가 여러 명 있었다면 이런 방식을 생각이나 했겠는가? 서너 명만 있었어도 시체의 팔다리는 충분히 들 수 있었을 테고, 또 그게 가장 좋은 방법이지. 그러므로 이런 궁리는 단 한 사람일 경우에 하는 것이지. 그리고 여기서 생각나는 것은, 그 '풀숲과 강 사이에 있는 나무 울타리는 망가져 있고 바닥에는 무언가 무거운 것을 끈 자국이 역력히 보였다.' 는 사실일세. 그러나 남자가 여럿이 있었다면 즉시 들어 넘길 수 있었을 시체를, 일부러 울타리를 부수고 그 사이로 끌어내는 쓸데없는 수고를 할 리가 없지 않은가! 과연 여러 명의 사내가 그 흔적을 뚜렷이 남길 정도로 시체를 끌고 갔을까?"

"아니지."

"여기서 《르 커메르시에르》의 견해에 대해 언급할 필요가 있네. 이 신문은 이렇게 썼지. '그 불행한 아가씨의 속옷이 찢겨지고, 그 조각이 목 부위에 둘러져 턱 밑에서 매듭지어져 있었는데, 이것은 아마도 비명을 지르지 못하게 하기 위해서였을 것이다. 이런 짓은 손수건을 갖고 있지 않은 자들의 소행이다.' 라고 말이야."

"그랬지."

"내가 전에도 말했듯이 진짜 악당이야말로 손수건은 반드시 갖고 다니게 마련이야. 또한 《르 커메르시에르》가 말한 것처럼 손수건이 없었기 때문이 아님은 덤불 속에 손수건이 남아 있었던 점으로도 명백히 알 수 있지. 또 증인의 말은 이 문제의 천이 '목의 둘레에 느슨하게 감겼고 단단하게 매듭지어져 있었다.' 고 했는데, 이 말은 《르 커메르시에르》의 주장과는 크게 다르네. 조각은 너비가 40센티미터 가량이었고, 따라서 모슬린 천이라 해도 세로로 접거나 잘 꼬면 튼튼한 끈이 될 걸세. 그리고 그렇게 꼬인 채로 발견되었지. 나의 추리는 이렇다네. 단 한 사람의 범인이 그 덤불로부터나 다른 어느 곳으로부터 시체의 허리통에 천 조각을 매듭지어 어느 만큼의 거리까지 떠메고 갔는데, 이런 식으로 가다간 도저히 무거워서 자기의 힘으로 감당할 수 없다고 깨달았던 걸세. 그래서 무언가 로프 같은 것을 시체의 한쪽 끝에 감지 않으면 안 되었네. 그러자면 목에다 감는 게 제일이지. 머리에 걸려 끈이 빠질 염려가 없기 때문이야. 그래서 범인의 속치마에서 천 조각을 찢어 내어 단단히 목에 감고는 강까지 시체를 끌고 갔던 걸세. 우리가 상상했듯이 덤불 속이 그 현장이라면 말일세. 덤불과 강 사이의 지점에서 그런 필요성이 발생했음을 말해 주는 거지."

"하지만 드뤼크 부인은 살인이 있었을 무렵, 덤불 부근에 '한 무리의 불량배' 가 있었다고 하지 않았나?"

"그건 나도 인정하네. 사건이 발생했던 시각이나 또는 그 무렵 룰 관문 주변엔 드뤼크 부인이 얘기한 불량배 무리가 열 명 이상 있지 않았을까 싶네. 그러나 그 뒤에 나온 드뤼크 부인의 증언에도 신경을 쓸 필요가 있네. 그 불량배 일당은 드뤼크 부인의 가게에서 실컷 먹고 마신 다음에 돈 한 푼 치르지 않고 가 버렸네. 드뤼크 부인은 불량배 일당에게 무척 화가 나 있었겠지."

"그렇다면 드뤼크 부인이 거짓 증언이라도 했단 말인가?"

"드뤼크 부인의 정확한 증언은 어떤가? '한 패의 건달들이 나타나 소란을 피우며 먹고 마시고는 돈도 치르지 않고, 좀 전에 나간 청년과 아가씨가 간 것과 같은 방향으로 걸어갔는데, 해질 무렵에 다시 술집으로 돌아와서는 몹시 서두르는 태도로 다시 강을 건너갔다.' 로 되어 있지. 그런데 '몹시 서두르는' 이라고 한 부분 말일세. 이것이 드뤼크 부인의 눈엔 충분히 극도로 서두르는 걸로 보일 수 있었을 걸세. 그녀로서는 많은 안주와 술을 공짜로 빼앗긴 것이 무척 분했을 것이고, 또 그때까지만 해도 술값을 치러 줄지 모른다는 희망을 품고 있었을지도 모르지. 그렇지 않다면 '해질 무렵' 인데 구태여 '서둘러' 라는 말을 할 이유가 없지 않은가? 큰 강을 작은 배로 건너가야만 하고, 폭풍우가 닥치고, 밤은 다가오고 있는데, 아무리 불량배들이라 할지라도 집에 빨리 돌아가려고 서두르는 건 너무도 당연하지 않으냔 얘기지."

여기까지 얘기한 뒤팽은 잠시 한숨을 돌렸다.

"그래서?"

나는 뒤팽의 말을 재촉했다.

"밤은 '다가오고' 라고 나는 말했네. 그것은 밤은 '아직 안 됐기' 때문일세. 이 건달들이 드뤼크 부인의 고지식한 눈에 점잖지 못하게 서두르는 걸로 보인 건 겨우 '해질 무렵' 이었지. 그러나 드뤼크 부인과 그 장남이 술집 근처에서 여자의 비명 소리를 들은 건 바로 저녁이었다고 했네. 드뤼크 부인은 여자의 비명 소리가 어두워지고 난 직후에 들려왔다고 했지. 어두워지고 난 직후는 적어도 해가 지고 난 뒤의 상황일세. 그리고 해질 무렵이란 분명히 낮이지. 그러므로 드뤼크 부인의 귀에 비명이 들리기에 앞서, 그 불량배 일당은 룰 관문을 떠났음이 명백하지. 그런데 지금까지 어느 신문도, 어느 경찰관도 앞뒤가 맞지 않는 이 얘기를 전혀 깨닫지 못하고 있었던 거야."

"자네의 얘기를 들으니 범인이 불량배 일당이 아니라는 것만은 확실하군."

"또 한가지 더 확실한 증거가 있네. 이 사건의 용의자를 고발하는 데 막대한 상금이 걸려 있고, 공범자를 고발하는 자에게는 무죄 방면을 약속하고 있는 상황에서, 질이 낮은 불량배 일당 중 어느 한 사람이라도 벌써 오래 전에 동료들을 배신하지 않았으리라고는 결코 생각할 수 없다는 걸세. 이런 입장에 놓였을 경우, 일당들은 상금이 욕심나거나 면책되길 바라기보다는 동료한테 배신당하지 않을까 하는 두려운 마음에 성급하게 자기 쪽에서 먼저 배신하게 마련이지. 따라서 나는 이런 결론을 내릴 수밖에 없네. 이 흉측한 범죄의 진상은 단 한 명 또는 두 명의 살아 있는 인간과 하느님밖에는 모른다고 말일세."

"그럼 자네도 범인이 누군지는 짐작이 가지 않는 모양이군."

"아니야. 나는 룰 관문의 덤불 속이나 거기서 가까운 장소에서 피해자의 숨겨 둔 애인에 의해 살해되었다는 결론에 도달했네. 그 애인은 검은 얼굴빛의 사나이지. 이 얼굴빛, 감은 천조각의 '매듭', 그리고 모자의 끈이 '선원 매듭'으로 되어 있었다는 것 등은 뱃사람을 가리키는 것이 분명하네. 방탕하긴 했지만 천박한 아가씨가 아니었던 피해자와의 교제는, 이 사나이가 보통의 선원보다 신분이 높았음을 말해 주지. 신문사에 들어온 긴급 투서가 달필이었음도 이것을 증명해 주고 있네. 《르 메르쥐리》에 실린 최초의 사랑의 도피의 내막을 살펴보면, 범인은 바로 마리를 죄악에 빠뜨린 것으로 알려진 그 '해군 장교'가 아닐까 하는 의심을 품게 하네."

"아! 그 해군 장교 말인가?"

"지금 방금 떠오른 생각이 있는데, 이 얼굴빛 검은 사나이가 그 후 내내 모습을 감추고 있다는 걸세. 특히 발랑스와 드뤼크 부인이 다 같이 이 검게 그은 얼굴을 기억하고 있는 것으로 보아, 그것은 보통으로 그은 것이 아닐 걸세. 그런데 그 사나이는 왜 모습을 감추고 있는 걸까? 불량배들에게 살해된 것일까? 그렇다면 왜 살해된 아가씨의 자취만 있는 것일까? 남자의 시체는 어디 있나? 범인들은 둘 다 같은 방법으로 처분했을 게 틀림없는데 말야. 따라서 그 사나이는 살아 있는데, 살인의 누명을 쓸까 두려워 모습을 나타내지 못하고 있는 거라고 할 수 있겠지. 거리낄 것이 없는 인간이라면, 우선 무엇보다도 불량배들의 범행을 세상에 알리고, 악당의 신원을 밝혀 내는 일에 협력하고 싶을 거야. 자기가 그녀와 함께 있는 걸 남들이 봤고, 지붕이 없는 나룻배로 그녀와 함께 강을 건너간 것도 사실이라 치자. 그렇다면 범인을 고발하고 나서는 것이 자기가 혐의를 벗는 가장 확실하고 유일한 방법이라는 것은 바보 천치라도 분명히 알 수 있는 일일세. 저 숙명적인 일요일 밤에 이 남자 자신에게 죄가 없고, 그가 범행이 자행된 사실도 몰랐다는 것은 도저히 있을 수 없는 일이네."

"지금으로서는 그 해군 장교가 가장 유력한 용의자로군."

"최초의 가출 사건을 철저하게 따져 보세. 그 해군 장교의 경력과 현재 상황, 그리고 살인이 저질러진 바로 그 시각에 어디에 있었는가를 알아보세. 불량배 일당에게 죄를 뒤집어씌우려고 한, 석간 신문에 보내진 여러 가지 투서를 서로 잘 비교해 보세. 그것이 끝나면 이 투서들의 문체와 필적을, 그 이전에 조간 신문에 보내진, 메네의 유죄를

강력히 주장하고 있는 투서들과 비교해 보세. 그리고 이 모든 것이 끝나면 다시 이 각종의 투서들을 그 장교의 필적과 비교해 보세. 그리고 드뤼크 부인과 그 아들들, 그리고 합승 마차의 마부 발랑스에게 다시 물어, '얼굴빛 검은 남자'의 용모나 태도에 관해서 좀더 알아내 보도록 하세. 요령껏 질문을 하면 이들 가운데 누구한테서든 바로 이 사나이에 관한 정보를 끌어낼 수 있을 걸세."

"그러면 지금부터 우리가 할 일은 무엇인가?"

"우선 6월 23일 월요일 아침에 사공이 발견한 '보트'의 행방을 알아보는 일이네. 시체가 발견되기 조금 전에 '배의 키도 없이' 감시인도 모르는 사이에 사무실에서 없어진 보트 말일세. 신중함과 끈기만 있으면 반드시 이 보트의 행방을 찾을 수 있을 거야. 그것을 발견한 사공이 보트를 알아볼 수 있을 뿐 아니라, 열쇠도 수중에 있으니까 말이야. 아무것도 거리낄 것이 없는 사람이라면 물어 보지도 않고 보트의 열쇠를 버리고 가지는 않았을 거야."

"맞아. 이 보트를 발견했다는 기사는 어느 신문에도 나질 않았어."

내가 소리쳤다.

"그 보트는 조용히 사라졌네. 그 남자는 보트의 소유주나 사용자가 틀림없어. 그는 월요일에 건져진 보트가 보관되어 있는 장소가 신문에 나지도 않았는데, 바로 그 다음 날인 화요일 아침에 어떻게 보트의 향방을 알 수 있었을까? 범인은 시체를 강가까지 끌고 갈 때 보트를 이용했을 가능성이 크네. 그러고 보니 마리 로제가 보트에서 던져진 거라는 확신이 서네. 시체를 기슭의 얕은 곳에 팽개쳐 놓을 수는 없었을 테니까 말이야. 피해자의 어깨와 등에 특이한 상처 자국이 나 있는 건 보트 밑바닥에 긁힌 것이네. 시체에 추가 달려 있지 않았던 점도 이런 생각을 한층 더 강화시켜 주지. 기슭에서 던져 넣은 거라면 틀림없이 추가 달려 있었을 거야. 추가 없었던 건, 보트를 타고 나가기 전에 범인이 추를 준비하는 걸 깜빡 잊었기 때문이라고밖에 설명할 수 없지. 시체를 물 속에 던져 넣으려다가 범인은 자기의 실수를 깨달았을 거야. 그러나 그 당시로서는 어떻게 할 도리가 없었겠지. 어떤 위험도 저주스런 기슭으로 되돌아가는 것보다는 나았을 테니까. 부담스런 짐을 처분한 범인은 보트를 저어 허겁지겁 시내 쪽으로 갔을 걸세. 그리고 어딘가 인적이 드문 선창에서 뭍으로 뛰어올랐을 거야. 그러나 보트를 단단히 매어 놓았을까? 너무나 마음이 급해서 보트를 매어 두는 따위의 생각은 할 수도 없었을 거야. 게다가 선창에 보트를 매어 두는 건 증거를 매어 두는 것 같은 느낌이 들었을 걸세. 범인은 범죄와 관련이 있는 것은 가능한 한 멀리 쫓아 버리고 싶었을 거야. 따라서 보트를 흘러가는 대로 내버려 두었을 것이 틀림없네."

"그렇겠군."

"나는 또 이렇게 상상해 보았네. 범행이 일어난 다음 날 아침, 그 남자는 그 보트가 발견되어 자기가 매일처럼 다니고 있는 장소, 아마도 직무상 자주 가지 않을 수 없는 장소에 매어져 있음을 알고는 말할 수 없는 공포에 사로잡혔을 거야. 그날 밤 그는 키의 행방은 감히 물어보지도 못하고 보트를 가져가 버렸을 거야. 그럼 키를 잃은 보트는 지금 어디에 있을까? 무엇보다도 먼저 그것을 찾도록 하세. 보트만 눈에 띄면 그 순간 이 사건은 해결이 된 것이나 마찬가지야. 이 보트가 길잡이가 되어 놀랄 만큼 신속하게, 그 일요일의 한밤중에 보트를 사용한 사나이를 찾을 수 있을 걸세."

이렇게 해서 범인이 잡혔음은 더 이상 말할 필요조차 없다. 경시총감은 마지못한 태도로 뒤팽과의 약속을 충실히 지켰음도 전해 둔다.

작품 알아보기
(단편문학)

〈검은 고양이〉는 주인공의 고백 형식으로 진행되는, 고양이에 얽힌 이야기이다.
주인공은 크고 아름다운 검은 고양이를 기르고 있지만 술버릇이 너무 나빴다. 그러던 어느 날, 술에 취해 돌아온 그는 발작적으로 고양이의 한쪽 눈을 도려내고, 며칠 후에 고양이를 나뭇가지에 매달아 죽여 버린다. 바로 그날 밤에 화재가 일어났는데, 오직 한 군데 타다 남은 벽에 고양이의 거대한 그림자가 비쳐 있었다. 그는 양심의 가책으로 우연히 만난 다른 애꾸눈의 검은 고양이를 기르지만, 목의 흰 반점이 차차 교수대를 연상시킨다. 자신을 괴롭히는 고양이를 죽이려다 실수로 아내를 죽이게 되고, 아내의 시체를 지하실의 벽 속에 숨길 때, 부지중 고양이도 함께 넣고 벽을 발랐는데, 마침내 고양이의 비명으로 그의 범죄가 발각되고 만다.
이 작품은 병적인 범죄심리와 양심의 가책을 섞어 공포 분위기와 충격을 느끼게 하는, 포의 대표작이다.
〈어셔 가의 몰락〉은 오래 된 늪 부근의 음산한 저택에 살고 있는 로드릭 어셔와 쌍둥이 여동생의 죽음과 공포를 그린 소설이다. 어셔는 유전적인 신경병 때문에 공포의 환영에

작품 알아보기
(단편문학)

사로잡혀 여동생을 생매장하지만, 필사적으로 탈출한 여동생에 의해 결국 죽음을 맞이한다.

이 작품에는 스스로 정신 이상에 빠지는 것을 두려워한 포의 불안과 공포가 잘 드러난 것으로, 첫머리부터 끝까지 암울함과 황량함과 공포감이 넘치는 환상적인 작품이다.

〈황금 풍뎅이〉는 설리반 섬에 사는 주인공 레그랜드가 풍뎅이와 양피지에 씌어 있는 암호로, 옛날 해적이 숨겨 놓았던 보물을 찾아낸다는 줄거리이다.

서정적이고 시적인 아름다움과 예리한 추리가 하나로 융합된 뛰어난 작품이다. 구성에 있어서도 포의 단편 중에서 가장 뛰어난 것으로 평가받는다.

〈모르그 가의 살인 사건〉은 포가 쓴 최초의 추리소설이다. 1841년에 발표된 이 작품은 프랑스 파리의 모르그 거리라는 가공의 거리를 설정하여, 이 곳에서 일어난 끔찍한 살인 사건을 이야기하고 있다. 살인 행위의 잔학성과 이해할 수 없는 동기 때문에 오리무중인 이 사건은 탁월한 분석 능력이 있는 오귀스트 뒤팽에 의하여 해결된다. 포는 이 소설로 추리소설의 원조가 되었다.

논술 길잡이
(단편문학)

❶ 〈검은 고양이〉에서 성격이 온순하고 인정이 많던 주인공인 '나' 란 인물이 고양이의 한쪽 눈을 도려 낼 정도로 잔인한 성격으로 바뀐 과정과 원인을 써 보자.

논술 길잡이
(단편문학)

❷ 이 책에 실린 다섯 작품의 절정(극적 장면)을 적어 보자.

작 품 명	절정(극적 장면)
검은 고양이	
어셔 가의 몰락	
황금 풍뎅이	
모르그 가의 살인 사건	
마리 로제의 비밀	

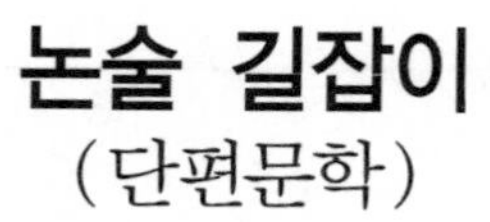

논술 길잡이
(단편문학)

❸ 〈황금 풍뎅이〉에서 레그랜드가 황금 풍뎅이를 쌌던 양피지에 관심을 갖게 된 계기가 무엇인지 본문에서 찾아 써 보자.

❹ 〈어셔 가의 몰락〉에서 로드릭 어셔는 왜 쌍둥이 여동생을 생매장했을까를 생각해 보고 쓰라.

논술 길잡이
(단편문학)

❺ 〈모르그 가의 살인 사건〉에서 뒤팽이, 범인은 사람이 아니라고 단정한 몇 가지 증거에 대해 적어 보자.

❻ 〈마리 로제의 비밀〉에서 마리 로제는 누구에 의해 살해되었는지와, 그 근거를 본문에서 찾아 써 보자.

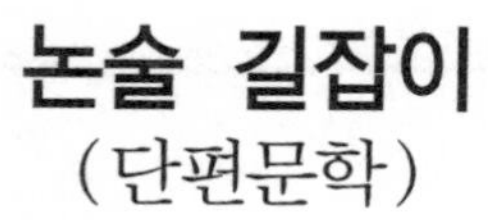

논술 길잡이
(단편문학)

❼ 파리 경시총감도 해결하지 못하는 복잡한 살인 사건을 명쾌하게 해결하는 뒤팽의 추리력은 어디에 바탕을 둔 것인지 써 보자.

❽ 이 책의 작가인 에드거 앨런 포는 '추리 소설의 원조' 라고 불린다. 그의 다른 작품들도 찾아서 읽어 본 후, 감상을 써 보자.

논·술·세·계·대·표·문·학 <전60권>

펴 낸 이 정재상
펴 낸 곳 훈민출판사
주 소 경기도 고양시 덕양구 원당동 416번지
대표전화 (031)962-3888
팩 스 (031)962-9998
출판등록 제395-2003-000042호